Poradnik Perfekcyjna pani domu

Małgorzata Rozenek

Pascal

Perfekcyjna pani domu distributed by Zodiak Rights Limited

Moim Rodzicom,

stałym punktom na stale zmieniającej się mapie mojego życia,

za miłość, wsparcie, siłę i wszystko, co dobre – dziękuję.

Sukces *Perfekcyjnej pani domu* to sukces wszystkich osób, które stworzyły ten program. Dziękuję Edwardowi Miszczakowi za szansę, Małgorzacie Łupinie – za wiarę, Grzegorzowi Piekarskiemu za zaufanie. Jestem wdzięczna wszystkim pracownikom Golden Media za ich ciężką pracę, ale i dobrą zabawę, jaka towarzyszy przygotowaniu programu. Przede wszystkim jednak dziękuję widzom – to ich reakcje i życzliwość dają nam pewność, że to, co robimy, ma sens.

Spis treści

8. Sypialnia 118

Posprzątany azyl

9. Garderoba 148

Ład na wyciągnięcie ręki

10. Pokój dziecięcy 182

Nauka porządku

11. Łazienka 202

Czysta przyjemność

12. Balkon i taras 234

Nic do ukrycia

13. Słowniczek 250

Środki i substancje ułatwiające pracę w domu

„Jeśli coś robisz, rób to dobrze"

TO ZDARZYŁO SIĘ dwa lata temu – kilka dni po świętach Bożego Narodzenia zadzwonił telefon. Właśnie wybierałam w sklepie bombki, które zwykle kupuję dwa razy do roku. Raz tuż przed Wigilią, drugi raz po – na wyprzedaży, z myślą że przydadzą się w przyszłym roku. Dzwoniła przedstawicielka firmy przygotowującej polską edycję programu *Perfekcyjna pani domu* z zaproszeniem na casting. Pomyślałam: dlaczego nie? Bardzo dobrze znałam wersję brytyjską z Antheą Turner, chętnie ją oglądałam, gdy moi synowie byli mali. Miałam też trochę wolnego czasu, bo kilka tygodni wcześniej złożyłam do recenzji swój doktorat na wydziale prawa. Nieco naiwnie sądziłam, że dwa dni w tygodniu, które poświęcałam na pracę naukową, po prostu zamienię na inne zajęcie. Do castingu przygotowałam się na dwieście procent: wydrukowałam siedem egzemplarzy przygotowanej przez siebie książki o sprzątaniu i prowadzeniu domu, na miejscu zaaranżowałam też odcinek programu ze statystami obecnymi w studiu. I wygrałam. Dlaczego? Może dlatego, że potencjalni widzowie w badaniach przed emisją ocenili mnie jako osobę pedantyczną, wymagającą, nietolerującą lenistwa.

Naprawdę nie marzyłam o pracy w telewizji. Prowadziłam spokojne życie, dbając o dom, męża i dwoje małych, wyczekanych dzieci. Ale podczas spotkania z Antheą Turner przekonałam się, że

to program dla mnie. Brytyjska gwiazda nie tylko udzieliła mi facho-
wych porad, jak się zachować, co mówić i jak dotrzeć do uczestniczek, ale
przekazała coś więcej, co zapadło mi w pamięć. Powiedziała: „To nie jest
program o sprzątaniu, to program o aspiracjach". To prawda – nie poka-
zuję jedynie, jak posługiwać się ścierką. Częściej opowiadam o tym, jak
stworzyć wokół siebie zorganizowany, uporządkowany świat, w którym
żyje się prościej i wygodniej.

W książce *Sztuka sprzątania* Dominique Loreau, wielbicielka mini-
malizmu i zasady „mniej znaczy więcej", dowodzi, że celem sprzątania
jest nie tylko czysty dom, pozbawiony kurzu na półkach i brudnych
naczyń w zlewie. „Korzyści płynące ze sprzątania są wielorakie. Może
ono służyć zakwestionowaniu dotychczasowego stylu życia, poprawieniu
swojego samopoczucia, wysubtelnieniu zmysłów" – przekonuje autorka.
I choć dalsze porównanie sprzątania do medytacji czy tańca wydaje się
nazbyt daleko idące, zgadzam się z jednym: porządek w domu to krok
w kierunku wprowadzenia do swojego życia zmian na lepsze. Przykład?
W jednym z odcinków pojawiła się dziewczyna, która długo nie mogła
znaleźć pracy. Popadła w zniechęcenie, przestała wierzyć we własne siły.
W programie odnalazła energię, by pięknie odnowić swoje mieszkanie.
Stała się inną osobą, z poczuciem odzyskanej kontroli nad własnym
losem, z dawką optymizmu konieczną przy szukaniu pomysłu na siebie.

Wiele osób narzeka: „Jest tyle ważniejszych rzeczy, po co zawra-
cać sobie głowę sprzątaniem?". „Nie mam czasu ścierać kurzu, dużo
pracuję". „Gdy położę wreszcie dzieci spać, nie mam już sił, by pozmywać naczynia". Trudno mi to zrozumieć. Zaciągamy wieloletnie kredyty,
by kupić wymarzone mieszkanie, a potem nie robimy nic, by zachować
jego piękno? Słucham wymówek z cierpliwością, ale wiem jedno: jeśli
uznamy jakieś działanie za ważne, z całą pewnością znajdziemy na nie
zarówno czas, jak i energię.

Dla mnie porządkowanie przestrzeni wokół siebie jest istotne. Taką potrzebę wyniosłam z domu. Co ciekawe, zawdzięczam ją w jednakowym stopniu obojgu rodzicom. Mama, która zajmowała się domem oraz wychowaniem dwójki dzieci (mojego brata i mnie), przekazała mi techniczne umiejętności związane ze sprzątaniem. To dzięki niej wiem, jak złożyć pościel. Ojciec, z wykształcenia ekonomista, nadał słowu „porządek" szersze znaczenie. Dla niego oznaczało ono: jeśli coś zaczęłaś, doprowadź to do końca. Może dlatego skończyłam szkołę baletową, mimo iż wiedziałam, że nie zrobię wielkiego użytku z dyplomu artysty scen polskich. Nie żałuję spędzonych w niej dziewięciu lat, bo właśnie tam nauczyłam się dyscypliny, samokontroli i dążenia do tego, by być lepszą. Gdy miałam naście lat, utrzymanie porządku w pokoju nie było czymś naturalnym. Musiałam się tego nauczyć. Przekonywałam samą siebie: „Skoro mój ojciec, który pracuje tak dużo i długo, potrafi utrzymać wokół siebie doskonały ład, to dlaczego ja nie mogę tego osiągnąć?". Potraktowałam to jak wyzwanie, by po sześciu miesiącach stwierdzić, że odkładanie rzeczy na miejsce przychodzi mi coraz łatwiej. Sprzątanie stało się nawykiem.

Współczesne panie domu potrafią dużo mniej niż ich matki. Tak przynajmniej wynika z brytyjskich badań, o których niedawno czytałam. Okazuje się, że nie umiemy upiec ciasta, podwinąć spódnicy, wykrochmalić pościeli. Zgoda, niektóre z tych czynności wykonają dziś za nas wyspecjalizowane firmy. Ale brak umiejętności może oznaczać też, że przestałyśmy cenić znaczenie takiej pracy. Kojarzy nam się ona z byciem kurą domową, a nie boginią domowego ogniska. Bardzo chciałabym, aby to się zmieniło. Przecież dbanie o dom nie musi być ponurym obowiązkiem i źródłem udręki, a może stać się przyjemnością. Pięknie nakryty stół, porządnie ułożone ubrania w szafkach dzieci, przygotowanie świątecznych dekoracji – to wszystko sprawia, że żyje nam się wygodniej i... pełniej. Sama wspaniale wspominam czas, gdy byłam żoną i matką na sto procent. Nie wynikało to z nacisku ze strony męża. Taki podział ról „ustalił się" naturalnie, w miarę jak rozwijała się nasza relacja. Byłam w domu, gdy dzieci zaczynały chodzić, gdy starszy syn uczył się przy stole dobrych manier. Segregowałam pranie, odkurzałam, czyściłam łazienkę, robiłam ozdoby. Z pozoru codzienność i rutyna, ale proszę mi wierzyć: naprawdę można poczuć się spełnionym, dbając o tych, których się kocha.

Dziś moje życie się zmieniło. Pracuję, i to bardzo dużo. Wychodzę wcześnie rano, wieczorem zajmuję się dziećmi. Ale nie wyobrażam sobie, żebym z powodu pracy zawodowej miała przestać dbać o dom. Skąd wziąć na to siły? To jak z bieganiem, które ostatnio jest moim ulubionym sportem. Po stu metrach wydaje się, że nie dam rady zrobić kolejnego kroku. I wtedy pojawia się chęć przekroczenia własnych ograniczeń. Skupiam się na rytmie, muzyce w słuchawkach i jakimś cudem wkraczam na kolejny poziom.

Program *Perfekcyjna pani domu* nie jest skierowany tylko do niepracujących kobiet w tradycyjnych związkach. Jest dla wszystkich: singielek robiących karierę, samotnych matek, osób żyjących w rodzinach wielopokoleniowych i młodych ludzi, którzy właśnie wynajęli swoje pierwsze mieszkanie z kolegami. Kobiety, które spotykam, chcą, aby ich domy wyglądały lepiej, tylko nie bardzo wiedzą, jak to zrobić. To właśnie dla nich przeznaczona jest ta książka. Każdy rozdział opisuje, jak odgruzować konkretne pomieszczenie, jak je zorganizować i jak dekorować. Nieważne, czy mieszkasz w rezydencji czy w kawalerce. Kuchnia, łazienka, sypialnia mogą być czystsze, zwłaszcza jeśli wprowadzisz w życie ogólne zasady dotyczące sprzątania. Ten poradnik to punkt wyjścia. Niewielki krok na drodze do zmiany. Ale, jak wiadomo, nawet najdłuższa podróż zaczyna się od pierwszego kroku.

Sprzątanie
JAK ZACZĄĆ

Prokrastynacja to pojęcie, które robi ostatnio medialną karierę. Pod trudnym słowem kryje się jednak zjawisko dość banalne i powszechne, czyli odwlekanie. To właśnie przekładanie spraw na później jest moim zdaniem przyczyną tego, że w naszych domach zaczyna rządzić bałagan. Dlaczego zwlekamy z domowymi obowiązkami? Bo wydają się ponad siły, bo nie wiemy, jak się do nich zabrać, bo odnosimy wrażenie, że po wykonaniu jednej pracy czeka na nas kolejna. Rozwiązaniem może być, po pierwsze, podstawowa wiedza o sprzątaniu, a po drugie... nawyk. Może na początku trudno w to uwierzyć, ale przyzwyczajenie i regularność wykonywanych czynności potrafią zdziałać cuda. Codziennie, gdy wracam do domu z pracy, wynoszę śmieci. Ten prosty gest zajmuje mi zaledwie dwie minuty, a dzięki niemu podczas weekendowego sprzątania nie jestem postawiona wobec konieczności uporania się z górą odpadków. Odkurzanie dywanów, ścieranie kurzu, zamiatanie – te wszystkie domowe czynności można łatwo uwzględnić w codziennym, tygodniowym lub miesięcznym harmonogramie porządków. A zatem: zrób plan już dziś. I działaj.

Coaching ze szczotką w ręku

Podobne przyciąga podobne – to twierdzenie odnosi się nie tylko do relacji międzyludzkich, ale także do panowania nad domowym chaosem. Jeśli w naszym domu ubrania leżą na podłodze, jest więcej niż pewne, że właśnie tam wyląduje kolejna para spodni czy bluzka. Jeśli są poskładane w szafie – to tam właśnie będziemy je odkładać. Niezbędne jest zatem zrobienie generalnych porządków, dzięki którym każde następne sprzątanie będzie krótsze i bardziej przyjemne. Specjaliści od coachingu radzą, by do sprzątania podejść jak do każdego ważnego zadania, którego wykonanie wydaje nam się trudne. A to zakłada następujące etapy:

1. Planuj. Pomyśl, co chcesz zrobić i w jakim czasie. Podziel pracę na mniejsze „kawałki", nie próbuj robić wszystkiego naraz (niektórzy nazywają to metodą „krojenia salami" – pracę, której jednorazowo nie dałoby się zrealizować, można wykonać krok po kroku).

2. Postaw sobie konkretne cele. Nie myśl ogólnie: „chcę posprzątać", a raczej: „w piątek umyję toaletę i łazienkę, w sobotę wyczyszczę lodówkę i piekarnik w kuchni". Ustal kolejność pomieszczeń. W ten sposób łatwiej rozliczysz się sama ze sobą z wykonania zadania.

3. Zadbaj o kondycję. Zmęczona nie będziesz miała sił na porządki.

4. Daj sobie czas. Nie planuj większych porządków, gdy masz tylko pół godziny. Zostaw je na weekend, gdy nie będą rozpraszać cię inne obowiązki. Przez wyznaczony czas po prostu skup się na tym, co robisz.

5. Stwórz odpowiednią atmosferę. Wyłącz telewizor, bo to jeden z największych rozpraszaczy. Zadbaj za to o dobrą, dynamiczną muzykę, która doda ci energii.

6. Motywuj się. Wyobraź sobie przyjemne rzeczy, które czekają po zakończeniu pracy. Może to być filiżanka dobrej kawy, wyjście do kina albo wizja czystego domu, w którym wszystko znalazło nareszcie swoje miejsce. Dobrym impulsem do działania dla wielu kobiet jest zaproszenie gości. W pracy czy w kon-

taktach towarzyskich prezentujemy się jako osoby kompetentne, zorganizowane, pięknie ubrane. Kto chciałby ujawnić, że pod tym wizerunkiem kryje się ktoś, komu nie przeszkadza kurz na półkach, brudna podłoga i niewyniesione śmieci?

7. Pamiętaj o silnej woli. Niezależnie od tego, jak wiele poradników przeczytasz i z jakich zewnętrznych wskazówek skorzystasz, to ty jesteś osobą, od której zaczyna się proces zmiany.

Jak zachować prawidłową postawę podczas sprzątania

Sprzątanie to ciężka fizyczna praca, która wymaga zachowania odpowiedniej postawy i dbałości o kręgosłup. Pamiętaj, by przy schylaniu się ugiąć nogi w kolanach. Gdy odkurzasz, bądź wyprostowana, dostosuj rurę teleskopową do swojego wzrostu. Nie schylaj się ani przy szorowaniu wanny, ani przy myciu podłogi mopem – jeśli musisz, uklęknij. Gdy przy zmywaniu czy prasowaniu długo stoisz, przenoś ciężar z nogi na nogę. Pamiętaj, że nie wszystko musisz robić sama. Do przesuwania mebli lepiej zaangażuj postawnego mężczyznę.

Moja rada: znajdź mentora

Jeśli trudno zabrać ci się za sprzątanie, spróbuj początkowo sprzątać we dwójkę. Do pary możesz dobrać mamę, przyjaciółkę, siostrę. A może męża, który jest bardziej pedantyczny niż ty? Możesz też poprosić o lekcję sprzątania osobę, która zajmuje się tym zawodowo. Nie tylko szybciej uporasz się z bałaganem, ale podpatrzysz parę przydatnych trików.

Harmonogram sprzątania

Słowo „rutyna" ma w języku polskim niezbyt pozytywne znaczenie. Kojarzy się z nudą, stagnacją i brakiem refleksji. Dla mnie jednak w tym pojęciu zawiera się motyw organizacji i powtarzalności, czyli tego, co liczy się przy planowaniu sprzątania. Nie musisz codziennie myć okien ani trzepać materaca (to byłoby bezcelowe), ale już odkładanie zmywania naczyń na później prowadzi do narastania chaosu. Gdy podzielisz czynności domowe na te, które trzeba wykonać codziennie, miesięcznie i sezonowo, utrzymanie porządku stanie się znacznie łatwiejsze.

Codziennie

1. Pozmywaj naczynia. Nie zostawiaj resztek z obiadu w zlewie na następny dzień. Nie chodzi tylko o to, że trudniej będzie ci usunąć zaschnięte, tłuste plamy. Brudne garnki to siedlisko bakterii i wyjątkowo przygnębiający widok.

2. Zamieć lub umyj podłogę w kuchni. W tym intensywnie używanym pomieszczeniu brudzi się ona najbardziej, a kurz i brud łatwo przedostają się do innych części mieszkania.

3. Pościel łóżka. Wygładzenie prześcieradła czy nałożenie narzuty nie zajmuje wiele czasu, a pokój od razu zyskuje bardziej schludny wygląd.

4. Na bieżąco odkładaj rzeczy na miejsce – ubrania do szafy, puste opakowania do kosza, krople do nosa do apteczki. Nie czekaj z tym na cotygodniowe sprzątanie.

5. Usuń plamy. Sok pomidorowy na podłodze, czerwone wino na bluzce – gdy plamy są świeże, usuniesz je łatwiej i szybciej, często samą czystą wodą.

6. Posortuj pocztę. Nie odkładaj rachunków i urzędowych pism na stertę. To, co możesz, załatwiaj od razu. Dokumenty, które musisz przechować dłużej, odłóż w przeznaczone do tego miejsce, nie trzymaj ich na stole w kuchni ani na parapecie w salonie. Pozbądź się ulotek reklamowych.

7. Wyrzuć śmieci. To nie nadgorliwość, ale konieczność. Niestety, przeciętna rodzina jest w stanie „wygenerować" przynajmniej jeden kosz dziennie.

8. Przetrzyj umywalkę w łazience, usuwając ślady po paście do zębów.

Co tydzień

1. Zetrzyj kurze we wszystkich pomieszczeniach. Dotyczy to mebli, blatów, poręczy do schodów, lamp, książek na półkach itp. Meble dodatkowo przetrzyj preparatem do czyszczenia.

2. Umyj podłogi w całym mieszkaniu.

3. Odkurz dywany i wykładziny.

4. Wyczyść kuchnię: piekarnik, toster, kuchenkę mikrofalową. Wytrzyj zewnętrzne części mebli. Przetrzyj drzwi lodówki.

5. Wyczyść i zdezynfekuj toaletę, wannę i umywalkę. Zmień ręczniki. Wypierz dywanik łazienkowy.

6. Przetrzyj lustra.

7. Zmień pościel.

8. Opróżnij wszystkie kosze na śmieci, także te na papierowe odpady.

Co miesiąc

1. Zrób porządek w lodówce. Wyrzuć wszystkie produkty, których okres przydatności do spożycia minął.

2. Wyczyść okap wentylacyjny.

3. Umyj kafelki. Sprawdź, czy w łazience newralgiczne miejsca wokół wanny lub kabiny prysznicowej nie niszczeją pod wpływem wilgoci.

4. Odkurz wnętrza szaf i apteczki.

5. Wyczyść szybę kominka, jeśli go masz.

Sezonowo

1. Rozmroź lodówkę.

2. Umyj okna.

3. Wyczyść skórzane meble.

4. Zmień położenie materacy.

5. Wyczyść poduszki.

6. Wyrzuć lekarstwa i kosmetyki, których data przydatności do użycia minęła.

7. Wymień garderobę w szafach. Rzeczy niepotrzebne w danym sezonie schowaj, zostawiając tylko te przeznaczone do codziennego użytku. Niepotrzebne ubrania oddaj, uszkodzone – napraw.

8. Posprzątaj piwnicę i strych.

9. Wyczyść na mokro dywany.

10. Wypierz, wyczyść na sucho lub oddaj do pralni dekoracje okienne – zasłony i rolety.

Środki czystości – co warto mieć

W sklepach mamy do wyboru bardzo wiele chemicznych środków czystości: płyny do podłóg drewnianych i paneli, mleczka do czyszczenia i polerowania, płyny do mycia okien i naczyń… Są to silnie działające preparaty, z pewnością skuteczne i wygodne w użyciu. Nie zawsze jednak od razu musimy sięgać po nieobojętne dla naszego zdrowia produkty chemiczne. W przypadku lżejszych zabrudzeń warto zastosować najpierw delikatniejsze substancje, a dopiero potem sięgać po mocniejsze żele czy płyny. Czego warto użyć w domowej walce z brudem? Na pewno przydadzą się:

Gliceryna

Służy do wywabiania plam (np. z czekolady czy kakao). Przydaje się też przy ścieraniu kurzu. Jeśli nasączymy nią ściereczkę, kurz będzie się wolniej osadzał (to istotne zwłaszcza w przypadku ciemnych mebli, na których widać każdy pyłek).

Mleko

W połączeniu z sokiem z cytryny przyda się do czyszczenia skórzanych mebli. Następnie można je przetrzeć także olejem lnianym.

Ocet

Jeden z pożyteczniejszych środków w gospodarstwie domowym. Służy nie tylko do konserwowania i doprawiania potraw, ale przydaje się także do usuwania tłuszczu, dezynfekcji, wybielania, usuwania plam i niepożądanych zapachów. Ocet powstrzyma też rozwój pleśni w wilgotnych pomieszczeniach, nabłyszczy panele podłogowe i nie pozostawi smug podczas mycia okien.

Soda oczyszczona

Doskonale działa w połączeniu z octem. Papka z dwóch części sody i jednej części octu może być stosowana do czyszczenia umywalek i wanien, a także przedmiotów metalowych. W odwrotnej proporcji (jedna część sody, dwie octu) posłuży jako środek do przeczyszczania rur.

Sok z cytryny

Przyda się przy wybielaniu. Zmieszany z sodą usuwa plamy z tłuszczu. Sok z cytryny dobrze sprawdza się przy czyszczeniu przedmiotów ze stali szlachetnej. Skórka z cytryny posypana solą pomoże usunąć plamy z marmurowych parapetów czy blatów.

Sól

Działa antyseptycznie. Może być używana jako środek czyszczący o właściwościach ściernych, także w połączeniu z sokiem z cytryny.

Surowy ziemniak

Usuwa ślady dłoni z drewnianych mebli.

Taśma klejąca

Zwinięta na dłoni lub szczotce pomoże usunąć zwierzęcą sierść z dywanu.

Oprócz klasycznych środków do czyszczenia w schowku lub szafce powinny się znaleźć także ściereczki do naczyń, kurzu i podłogi, ścierka irchowa, wiadro z mopem, szczotka do zamiatania, zmiotka z szufelką. Jeśli masz starą szczoteczkę do zębów, możesz ją wykorzystać do czyszczenia trudno dostępnych, wymagających precyzji lub małych powierzchni (np. fug). Przydadzą się również worki na śmieci, waciki, stare bawełniane skarpetki (idealne jako szmatki do ścierania kurzu), a nawet… podarte rajstopy (pocięte na kawałki można nałożyć na rurę odkurzacza, dzięki czemu podczas sprzątania łatwiej znajdziesz leżące na podłodze małe przedmioty). Czyste, nieskejone pędzle malarskie mogą z kolei posłużyć do odkurzania lamp i abażurów. Zaopatrz się w gumowe rękawiczki: regularny kontakt ze środkami czyszczącymi naprawdę nie pozostaje bez wpływu na wygląd dłoni. To, że jesteś dobrą panią domu, nie powinno oznaczać braku dbałości o siebie!

Ściereczki – z czego i do czego

Ściereczki uniwersalne, wykonane najczęściej z bawełny lub wiskozy, służą do czyszczenia na sucho i na mokro. Nie rysują powierzchni. Przydają się zarówno do czyszczenia podłóg, jak i mebli czy kuchennego blatu. Trzeba pamiętać, że bawełna trochę lepiej niż wiskoza chłonie wodę (co ma znaczenie w przypadku mycia podłóg). Ściereczki **tetrowe** (czyli z luźnej bawełny) cechują się bardzo dobrą chłonnością, wytrzymałością i odpornością na detergenty. Można je też prać w wysokich temperaturach, co pozwala na utrzymanie ich w odpowiedniej czystości. Ściereczki z **mikrofibry** (czyli bardzo cienkich włókien poliestrowych i poliamidowych) mają właściwości antystatyczne, dzięki czemu dobrze zbierają kurz, nie pozostawiają smug ani pyłków. Używane są najczęściej do usuwania kurzu, przecierania okien i luster, czyszczenia ekranów telewizorów i komputerów. Ścierki **gąbczaste** dobrze sprawdzą się przy wycieraniu rozlanych płynów. Gdy masz do usunięcia przypalone resztki jedzenia lub zaschnięte tłuste plamy, sięgnij po **zmywak metalowy**. Trzeba pamiętać, że przy czyszczeniu teflonowych patelni i garnków należy użyć specjalnego zmywaka, który nie porysuje powierzchni.

Pochwała bawełnianej ściereczki

- idealna do ścierania kurzu na mokro
- dobrze zbiera brud, pod warunkiem jednak, że często ją płuczemy
- najlepsza jest bawełna chłonna, dlatego na szmatki nadają się przede wszystkim stare ręczniki, sprane T-shirty lub ściereczki kuchenne

- szmatki bawełniane zalecane są też do czyszczenia delikatnych przedmiotów (np. bibelotów czy porcelany)
- bawełna w połączeniu z włóknami polipropylenowymi nadaje się doskonale do czyszczenia drewnianych mebli; delikatnie poleruje woskowane powierzchnie i usuwa drobinki kurzu; pierzemy ją w temperaturze 30°C, bez płynu do płukania
- miks bawełny i wiskozy – idealny do czyszczenia na sucho, doskonale zbiera kurz z monitorów komputerowych, telewizorów i mebli ze szlachetnego drewna.

Mikrofibra
– rewolucja w sprzątaniu

Mikrofibra jest grubości jednej setnej ludzkiego włosa. Swoje właściwości zawdzięcza klinowej strukturze, której rdzeń wykonany jest z poliamidu i wypełniony mikrowłóknami poliestru. Podczas czyszczenia mikrowłókna kurczą się i rozszerzają, dzięki czemu nawet drobne zabrudzenia są zasysane do środka. Można ją stosować na sucho (przy mniejszych zabrudzeniach) i na mokro (przy większych). Ścierki z mikrofibry potrafią wchłonąć siedmiokrotnie więcej wody, niż same ważą. Szmatkę z mikrofazy należy dobrze wypłukać w ciepłej wodzie lub wyprać w pralce z dodatkiem szarego mydła, w temperaturze do 60°C. Nie należy używać wybielaczy ani środków zmiękczających. Co pewien czas szmatki z mikrofibry można zamoczyć na pół godziny w gorącej wodzie z dodatkiem filiżanki octu. Taka kąpiel skutecznie wyeliminuje bakterie.

Mopy

Jeśli miałabym przygotować listę przebojów w dziedzinie porządków, mopy z pewnością znalazłyby się na czołowym miejscu. To naprawdę ułatwiający pracę wynalazek: można je łatwo nawilżyć i wycisnąć, mają sporą powierzchnię czyszczącą (więc mycie nie zajmuje dużo czasu), z ich pomocą da się dokładnie wyczyścić schody oraz bez trudu dotrzeć do ścian i krawędzi. Mop to także błogosławieństwo dla kręgosłupa – nie trzeba się schylać ani klęczeć, by podłoga lśniła czystością. W domu najczęściej używane są mopy **sznurkowo-pętelkowe** lub **paskowe** (z luźnymi kawałkami materiału), bo pozwalają zarówno na dobre zamiatanie, jak i mycie. Mopy sznurkowe lepiej zbierają brud, natomiast paskowe (cięte) skuteczniej pochłaniają wilgoć. Niektórzy producenci dla zwiększenia efektywności czyszczenia stosują oba te rozwiązania jednocześnie. Jeśli chodzi o polerowanie, dobrym rozwiązaniem wydaje się mop z **płaską końcówką**, choć jego wadą jest mała powierzchnia. Te większe przeznaczone są raczej do dużych biur czy obiektów przemysłowych i w niewielkim salonie trudno byłoby nimi manewrować. Mopy wykonane są z bawełny (a dokładnie mieszanki bawełny z poliestrem, by zwiększyć ich wytrzymałość) lub z mikrofibry. Mopy z tworzyw syntetycznych sprawdzają się w przypadku podłóg innych niż drewniane, na przykład płytek gresowych, bo dokładnie zbierają brud z mikroporów. Kupując mop, warto zwrócić uwagę także na sposób przytwierdzenia włókien roboczych do podstawy – trwalsze są mopy tkane, nie szyte.

Ważna uwaga: po sprzątaniu dokładnie umyj końcówkę mopa w ciepłej, ale nie wrzącej wodzie. Mop musi być zupełnie suchy, zanim zostanie schowany do szafki, w przeciwnym wypadku może stać się źródłem nieprzyjemnego zapachu.

Szczotki

Choć mopy weszły do codziennego użytku, nie można zapomnieć o bardziej tradycyjnym narzędziu do sprzątania, czyli szczotce. Te ze sztucznego włosia (np. nylonowe) są bardziej odporne na zniszczenie niż z naturalnego. Uniwersalne szczotki mają szczecinę pociętą pod odpowiednim kątem, aby lepiej zbierała kurz i brud. Zdarza się, że łączy się kilka rodzajów włosia, aby za pomocą tej samej szczotki można było jednocześnie usuwać kurz oraz zbierać włosy czy psią sierść. Bardzo użyteczna w gospodarstwie domowym jest moim zdaniem nieco zapomniana twarda szczotka ryżowa ułatwiająca usuwanie opornych plam z twardych powierzchni.

Pamiętaj, by szczotki przechowywać szczeciną do góry, stawiając je na końcówce kija. Dzięki temu włókna nie gną się i nie niszczą. Innym sposobem jest powieszenie szczotki na specjalnych haczykach, które można kupić w marketach budowlanych.

Jak umyć podłogę

Drewno – ślady po butach zlikwidujemy za pomocą szmatki zwilżonej spirytusem. Należy pamiętać, że podłóg olejowanych nie wolno myć mokrym mopem (co najwyżej lekko wilgotnym). Drewnianą podłogę konserwujemy specjalnymi pastami.

Linoleum – podłogę myjemy ciepłą wodą z detergentem i pastujemy preparatem na bazie wosku.

Panele – najpierw trzeba je zamieść, a następnie zmyć mopem, używając czystej wody lub wody z płynem do pielęgnacji. Aby uniknąć smug, można też wykorzystać wodę z octem i myć podłogę zgodnie z kierunkiem ułożenia paneli. Punktowe zabrudzenia usuniemy szkolną gumką do ścierania.

Płytki ceramiczne – umyj je wodą z dodatkiem płynu do naczyń. Można też dodać odrobinę środka nabłyszczającego (takiego jak do zmywarek). Brud w szczelinach trzeba usunąć twardą szczotką i mydłem. Jeśli to nie pomoże, sięgnij po wodę z amoniakiem (jedna łyżka amoniaku wystarczy na litr wody).

Terakota – posadzkę tego typu wyczyści woda z płynem do naczyń. Następnie ponownie myjemy podłogę, tym razem czystą wodą. Na zakończenie polerujemy flanelową szmatką.

Jak ścierać kurze

Kurz jest dla mnie pierwszą oznaką zaniedbanego mieszkania. Nie da się ukryć, że od razu rzuca się w oczy, zwłaszcza jeśli lubimy ciemne, eleganckie meble i podłogi. Choć niektórzy eksperci od sprzątania sugerują, by z kurzem (a raczej jego widocznością) radzić sobie za pomocą jasnego wystroju wnętrz, ja nie mogłabym rekomendować tak połowicznego rozwiązania. Fakt, że nie widać kurzu, nie znaczy przecież, że nie osiada on na regałach. Zgadzam się jednak z opinią, że w walce z kurzem wspierają nas szczelne okna, kotary i rolety oraz niewielka liczba bibelotów. W większości przypadków nie wystarczy wytarcie kurzu na sucho, bo na meblach błyskawicznie osiada jego nowa partia. Podobny efekt (czyli żaden) daje też jednorazowe wytarcie mebli mokrą ściereczką. Aby utrzymać czyste powierzchnie na dłużej, warto użyć płynu antystatycznego (np. do płukania tkanin) lub wykorzystać gotowe chusteczki nasycone preparatem do pielęgnacji. To rozwiązanie sprawdza się w przypadku mebli z litego drewna. Najłatwiej czyści się meble lakierowane, bo wodoodporna powierzchnia pozwala na zastosowanie wielu preparatów w mleczku lub w sprayu. W przypadku innych wykończeń warto trzymać się zasady, że usuwamy kurz, a jednocześnie pielęgnujemy meble tą samą substancją, którą są wykończone. Czyli meble olejowane przecieramy szmatką z olejem, woskowane – preparatami na bazie wosku. Meble bej-cowane najlepiej odkurzać na sucho, ponieważ bejca nie chroni przez wnikaniem zarówno zabrudzeń, jak i wilgoci. Ostrożnie należy też podejść do mebli fornirowanych, bo cienka warstwa drewna łatwo ulega zniszczeniu pod wpływem mocnych środków. Wystarczy wspomnieć, że tego rodzaju meble mogą się przebarwiać, gdy położymy na nich bez żadnej podkładki kubek z gorącą herbatą.

O czym jeszcze warto pamiętać

1. Miotełek nie używaj do odkurzania mebli. Służą one do czyszczenia przedmiotów, z którymi nie poradziłaby sobie zwykła ściereczka, np. żyrandoli.

2. Jeśli ty albo ktoś z domowników cierpicie na alergię, ścieraj półki na mokro. Suche ściereczki za bardzo wzbijają kurz.

3. Wycieraj kurz z góry na dół. Odwrotny kierunek spowoduje, że brud wzbity w powietrze ponownie osiądzie na regałach.

4. Kurz na powierzchniach szklanych najpierw zetrzyj na mokro, potem na sucho, inaczej pozostaną smugi.

5. Często zmieniaj ściereczki, także podczas jednego sprzątania Chodzi o to, by nie przenosić zabrudzeń z jednej powierzchni na drugą.

Perfekcyjne odkurzanie

Sprawny odkurzacz to twój kolejny sojusznik w walce z brudem i roztoczami. Choć dziś możliwe jest założenie w domu systemu centralnego odkurzania, klasyczny przenośny sprzęt nadal ma się dobrze. Zanim udasz się do sklepu, zastanów się, czego naprawdę potrzebujesz. Małego przenośnego odkurzacza do sporadycznego użytku? A może zaawansowanego urządzenia, które nie tylko odkurzy, ale i upierze dywany? Zwróć uwagę na:

- moc silnika i ssania dostosowaną do wielkości mieszkania i pomieszczeń (nie kupuj przemysłowego odkurzacza do kawalerki)
- filtry – najskuteczniejsze są wodne i antyalergiczne
- rodzaje końcówek – przydatna jest na przykład elektroszczotka do zbierania trudnych zabrudzeń (w rodzaju psiej sierści, włosów itp.)
- odpowiednio duży zasięg rury teleskopowej
- ewentualnie schowek na akcesoria

Wybierając odkurzacz, zastanów się, jak często i w jaki sposób będziesz usuwała z niego śmieci. W tradycyjnym sprzęcie brud gromadzi się w stałych lub jednorazowych workach. Te pierwsze trzeba regularnie opróżniać i trzepać, co samo w sobie jest uciążliwym zajęciem, a dla alergików może być prawdziwą udręką. Worki jednorazowe (z papieru lub specjalnego włókna) po prostu wrzuca się do kosza, wymieniając je na świeże. W sklepie ze sprzętem AGD znajdziesz też odkurzacze bezworkowe, w których specjalna technologia cyklonowa wprawia powietrze w ruch wirowy, dzięki czemu śmieci oddzielają się od powietrza i zatrzymywane są w odpowiednim pojemniku. Zaletą tego typu odkurzaczy jest stała moc ssania, niezależna od stopnia wypełnienia zbiornika.

Zasady odkurzania:

1. Zacznij od środka pomieszczenia, powoli poruszając się w stronę wyjścia.

2. Wykonuj długie, ostrożne ruchy. Na podłodze może znajdować się sporo małych przedmiotów (szpilek, igieł, zagubionej drobnej biżuterii). Zbierz je nie tylko ze względów praktycznych czy sentymentalnych, ale także po to, by nie uszkodziły wnętrza urządzenia.

3. Jeśli możesz, przesuń meble, pod którymi będziesz odkurzać.

4. Najpierw zetrzyj kurz z półek. Użyj odkurzacza, gdy brud osiądzie na podłodze.

5. Regularnie opróżniaj worek, nie dopuszczając do jego całkowitego wypełnienia. Wyrzucaj śmieci, gdy będą zajmowały trzy czwarte objętości.

Jak wyczyścić dywan

Regularne odkurzanie to za mało, dywany trzeba od czasu do czasu porządnie wyczyścić.

Dywany z materiałów syntetycznych – plamy można usunąć, zwilżając dane miejsce rozpylaczem z ciepłą wodą, a następnie osuszając czystą ściereczką. Przy praniu dywanów syntetycznych można używać metody na mokro. Lepiej w tym celu wypożyczyć profesjonalny sprzęt, który nie tylko wypierze dywan, ale i dobrze go osuszy. Zwykłe odkurzacze piorące pozostawiają często za dużo wilgoci.

Dywany wełniane – plamy usuń ciepłą wodą. Nigdy nie używaj amoniaku, który niszczy wełnę. Wełniane dywany lepiej oddać do profesjonalnego czyszczenia. W domowych warunkach trudno je dokładnie osuszyć, a zawilgocone stają się podatne na zniszczenia.

Dywany z włókien roślinnych (juta, trawa morska, sizal) – plamy z takich dywanów bardzo trudno wywabić. Najlepiej zadziałać od razu, używając wody, a potem suszarki. Wielu zabrudzeń jednak nie daje się usunąć, dlatego maty z włókien roślinnych najlepiej umieszczać w spokojniejszych częściach domu, przez które przewija się mniej osób (czyli raczej w gabinecie, a nie w przedpokoju).

Jak umyć okna

1. Wybierz porę dnia, kiedy słońce nie jest zbyt ostre. Jaskrawe światło nie pozwoli ci sprawdzić efektów mycia, a ponadto ciepło padające bezpośrednio na szyby sprawi, że płyn wyschnie za szybko, pozostawiając smugi.

2. Zmyj największe zanieczyszczenia ciepłą wodą. Użycie od razu płynu do szyb tylko rozmaże brud.

3. Papierowe ręczniki zostawiają na oknach resztki papieru, gąbką trudno jest zlikwidować smugi. Najlepsze efekty daje użycie do polerowania zwykłej gazety (codziennej, nie kolorowego magazynu).

4. Do czyszczenia możesz użyć sklepowego płynu do szyb, ale także roztworu z gorącej wody i octu zmieszanych w równych proporcjach. Receptura brytyjskiej perfekcyjnej pani domu to pół litra wody, cztery łyżki octu i dwie łyżki soku z cytryny. Gdy taką miksturą umyjesz szyby lub lustra, czeka cię wspaniała nagroda: piękny blask tafli.

Sprzątanie: wersja ekspresowa

Są sytuacje, w których nie możemy sobie pozwolić na kilkugodzinne sprzątanie. Gdy dzwoni telefon i dowiadujemy się, że za chwilę w domu zjawią się goście, musimy działać szybko. W tej sytuacji można wykorzystać sugestie Anthei Turner:

1. Posprzątaj przedpokój. Wrzuć wszystkie drobiazgi do szuflad i pudełek. Schowaj buty, powieś okrycia, odłóż klucze na miejsce.

2. Posprzątaj pokój dzienny w ten sam sposób. Porozrzucane gazety i zabawki włóż do jednego pojemnika. Zetrzyj kurz z telewizora. Sprzątnij naczynia ze stołu. Przetrzep poduszki kanapy. Rozpyl swój ulubiony zapach.

3. Zajmij się łazienką. Umyj toaletę i umywalkę. Zdejmij wilgotne ręczniki, powieś świeże. Przetrzyj lustro i połóż do mydelniczki ładne mydło.

4. Przebierz się i czekaj na gości.

Przedpokój

PRZESTRZEŃ DOBRZE ZORGANIZOWANA

Pierwsze wrażenie można zrobić tylko raz. W dodatku mamy na to zaledwie kilka sekund. To właśnie przedpokój w pierwszej kolejności decyduje o tym, jak inni postrzegają nasz dom i jak my sami czujemy się, wchodząc środka. W niektórych mieszkaniach korytarz zaczyna pełnić przeróżne funkcje. Zdarzyło mi się widzieć urządzoną w nim bibliotekę, miejsce do pracy (w korytarzu dwupoziomowym), a nawet kuchnię, która była przedłużeniem długiego wąskiego holu. Ale w większości domów korytarz to zaledwie kilka metrów kwadratowych, na których musimy zmieścić wieszak na ubrania, miejsce na parasole, szafkę na buty i kapcie, fotel, na którym możemy je zmienić, oraz koszyczki lub pudełka na klucze i korespondencję. Przyda się też kosz wiklinowy na zabawki dla dziecka, które lubi bawić się na dworze. I lustro, pozwalające przed wyjściem z domu sprawdzić, czy wyglądamy tak, by podbić świat.

ODGRUZOWANIE

Przedpokój powinien być urządzony jak najprościej – stanowi on ciąg komunikacyjny, nie możemy więc przechodząc do innych pomieszczeń, potykać się o rozrzucone na podłodze buty czy pozostawiony niedbale rower. Jeśli w przedpokoju mamy szafkę lub wbudowaną szafę, chowamy tam obuwie, czapki, szaliki, kurtki i płaszcze. Im mniej rzeczy zostanie na wierzchu, tym lepiej. W holu eksponujemy przestrzeń, a nie przedmioty. Intensywnie eksploatowany przedpokój wymaga dokładnego sprzątania.

Od czego zacząć? Najpierw omieć ściany i sufity szczotką na długim kiju owiniętą w zwilżoną gazę. Potem ściągnij klosze i dokładnie odkurz. Jeśli na kloszu papierowym są plamy, spróbuj usunąć je zwykłą gumką do ścierania, możesz też przetrzeć go delikatnie zwilżoną ściereczką. Szklany klosz umyj w wodzie z octem, co doda mu blasku (pamiętaj o dokładnym osuszeniu, zanim zamontujesz go z powrotem). Korytarz brudzi się szybciej i intensywniej niż inne pomieszczenia, zwłaszcza jesienią i zimą, gdy wnosimy do domu błoto i śnieg. Koniecznością staje się więc regularne zamiatanie podłogi, a nierzadko i codzienne mycie. W przedpokoju najczęściej decydujemy się na płytki ceramiczne i trzeba przyznać, że to praktyczny wybór. Łatwo usunąć z nich brud, nie trzeba też stosować dodatkowej konserwacji, jak w przypadku drewna. Płytki myjemy wodą z detergentem, nie zapominając o fugach. Aby za-

bezpieczyć te ostatnie przed wchłanianiem brudu i wilgoci, a także wykruszaniem, możemy zastosować specjalny impregnat. Oporne zabrudzenia fug usunie amoniak lub soda (a w ostateczności proszek do pieczenia) z odrobiną wody. Podłogi drewniane czyścimy w zależności od rodzaju wykończenia (olejowanie, lakierowanie), na co dzień usuwając zabrudzenia wilgotną szmatką (ale nie ociekającym wodą mopem!). Pamiętajmy, że ślady asfaltu wyczyścimy masłem, plamy z mleka i wina – wodą z płynem do mycia naczyń, a tłuszcz – benzyną ekstrakcyjną. Sprzątanie korytarza musi też objąć drzwi. Szczególnie trudne do wyczyszczenia są listwy i zawiasy – by do nich dotrzeć, możesz użyć odkurzacza, a następnie patyczków do czyszczenia uszu. Skrzydła umyj wodą z mydłem, jeśli jednak drzwi są drewniane, unikaj wilgoci i sięgnij po preparaty do pielęgnacji mebli. Niektóre drewniane drzwi szczególnie intensywnie „piją" wodę, co powoduje ich wypaczenie. Szkodzi im nawet wymiatanie brudu z dołu mokrym mopem.

Fugi – kuracja pielęgnacyjna

Aby odświeżyć pożółkłe lub poszarzałe fugi, zrób preparat złożony z sześciu łyżek stołowych sody oczyszczonej, czterech łyżek wody i dwóch octu. Nałóż na brudne miejsca na pół godziny. Następnie zetrzyj papkę i osusz podłogę.

ORGANIZACJA

Korytarze bywają trudne do urządzenia, gdyż najczęściej są albo bardzo małe, albo długie i wąskie. Optycznie powiększymy powierzchnię, umieszczając w przedpokoju lustro. Wizualnemu powiększeniu przestrzeni sprzyjają też jasne kolory ścian, przeszklone drzwi, obrazy i tapety dające wrażenie głębi. Monotonię długiego korytarza przerwie z kolei poprzeczny pasek płytek w innym kolorze lub zamontowane w poprzek na suficie oświetlenie.

Lustro

Kojarzące się z dobrą energią lustro jest jednym z dokładniej omówionych elementów filozofii feng shui. Zgodnie z jej zasadami nie należy go wieszać naprzeciwko drzwi wejściowych ani po prawej stronie. Powinno też odbijać fragment domu kojarzący się z pięknem lub dostatkiem (wazon z kwiatami, udekorowany stół). Zasady zasadami, zwykle jednak wieszamy lustro tam, gdzie mamy miejsce. Najlepiej wybrać na tyle duże, aby zmieściła się w nim cała sylwetka najwyższego domownika. Lustro może decydować o charakterze pomieszczenia. W ramie w biało-czarne kwadraciki będzie kojarzyć się z op-artem, w kolorowej – ze stylem folk, w chromowanej – z minimalizmem. Może też w ogóle nie mieć ram i tworzyć jedną szklaną ścianę.

Jak umyć lustro

Żadne lustro nie zaprezentuje się dobrze, jeśli będzie zakurzone, ze smugami lub śladami palców. Lustra czyścimy podobnie jak okna. Największe zabrudzenia zmywamy czystą wodą. Dopiero potem używamy płynu do mycia szyb lub preparatu domowej roboty złożonego z wody, octu i soku z cytryny. Umyte lustro najlepiej wypolerujesz nie ręcznikiem papierowym (zostawia ślady), ale zwiniętą w kulkę gazetą codzienną. Podczas czyszczenia uważaj, by woda nie dostała się pod taflę, bo skutkiem zawilgocenia będą czarne plamki.

Wieszak

Jeśli pomieszczenie jest małe, lepiej zamontować bezpośrednio na ścianie haczyki do wieszania odzieży niż wybrać wieszak wolno stojący. Elementem dekoracyjnym mogą być same haczyki w kształcie guzików, motyli lub gałęzi drzewa (zwłaszcza jeśli towarzyszy im odpowiednie tło). W naprawdę ciasnym holu wieszak można też zamontować na drzwiach lub podwiesić pod sufitem (małe haczyki na długiej linie). Niektórzy producenci oferują wieszaki pełniące dodatkowe funkcje: z półką (do odkładania czapek i rękawiczek) lub z parasolnikiem (z charakterystycznym wygiętym dołem). Awaryjnym rozwiązaniem jest wieszak składany, który możemy wyciągnąć z szafy tylko wtedy, gdy odwiedzą nas goście. Jeśli mamy do dyspozycji więcej miejsca, warto zdecydować się na przenośny drążek na kółkach, który pomieści sporo odzieży. Nie ma sensu jednak przesadzać: w przedpokoju wieszamy jedynie wierzchnie okrycia, a nie urządzamy wystawę całej naszej garderoby.

Jak wyczyścić wieszak z aluminium

Aluminium to modny materiał, często wykorzystywany w aranżacji kuchni i przedpokojów. Wieszak z aluminium jest lekki, łatwo go przenieść z miejsca na miejsce, z czasem jednak może czernieć. Aby temu zapobiec, czyścimy go „na kwaśno": wodą z octem, kwaskiem cytrynowym, a nawet... sokiem z kiszonej kapusty.

Jak naoliwić skrzypiące drzwi

Do konserwacji zawiasów służą specjalne preparaty na bazie nafty. Jeśli jednak słyszysz irytujące skrzypienie, a nie masz w domu odpowiedniego smaru, sięgnij po zwykłe mydło lub olej jadalny. Olej łatwo nałożysz na zawiasy przy pomocy plastikowej strzykawki. Stosując jakikolwiek preparat, kilka razy otwórz i zamknij drzwi, tak by spłynął na całe zawiasy. Gdy źródłem drażniących dźwięków są nie zawiasy, a ocierające się o nie drewno, posyp miejsce zetknięcia zasypką dla dzieci lub talkiem.

Wycieraczka

Dobra wycieraczka pomoże zaoszczędzić ci czas przeznaczony na sprzątanie. Jaką wybrać?

- **Wycieraczka kokosowa** – wykonana z naturalnych włókien, dobrze chłonie wilgoć. Dodatkowo może służyć jako dekoracja – barwi się ją na różne kolory, umieszcza rysunki i wzory. Wycieraczki kokosowe sprawdzają się w mieszkaniach w blokach (gdzie wnosi się mniej błota) lub jako wycieraczki wewnętrzne w domach jednorodzinnych.
- **Wycieraczka bawełniana** – stosowana jako uzupełnienie wycieraczek zewnętrznych. Wchłania resztki wody i oczyszcza obuwie. Niekłopotliwa w użytkowaniu, można ją prać w pralce.
- **Wycieraczka ażurowa** – złożona z odpornych na ścieranie gumowych szczoteczek. Szczoteczki bardzo dobrze usuwają większe zabrudzenia i kawałki błota, dlatego wycieraczki tego typu umieszczane są na zewnątrz domu.
- **Wycieraczki z recyklingu** – uzyskiwane z gumy z opon samochodowych. Można je pokryć efektownymi wzorami, dodatkowo są bardzo trwałe. Zwykle stosuje się je na zewnątrz.

Jeśli w domu są schody

W mieszkaniach dwupoziomowych lub domach dodatkowo musimy zadbać o schody. Zaczynamy czyścić je od góry do dołu, tak by brud z najwyższego podestu przemieszczał się na dół. Zamiatamy i myjemy każdy stopień oddzielnie. Najpierw czyścimy część schodów, na którą stawiamy nogi, później pionową, a na końcu boki. Powierzchnie malowane farbą czyścimy wodą z octem. W przypadku schodów z drewna postępujemy jak w przypadku podłóg drewnianych. Na koniec czyścimy i polerujemy balustrady (można to zrobić skarpetą nałożoną na rękę). Schody brudzą się dość szybko, warto więc odkurzać je przynajmniej dwa razy w tygodniu.

Stromo i bezpiecznie

Aby zapewnić bezpieczeństwo podczas sprzątania schodów, pamiętaj o kilku zasadach:

1. Nie zostawiaj na schodach szczotek, mopów, wiader ani innych przedmiotów przeznaczonych do sprzątania.

2. Nie pozwalaj domownikom wchodzić na mokre schody. Na wilgotnej powierzchni nietrudno o wypadek i złamaną nogę.

3. Nie woskuj schodów.

4. Zadbaj o oświetlenie. Ideałem są lampki przy każdym stopniu (takie jak w kinach), ale efekt dobrej widoczności można osiągnąć też światłem górnym i bocznym.

5. Sprawdź stabilność balustrady. Powinna być zbudowana przez całą długość schodów. Przerwy między palikami nie powinny być zbyt duże (do 10 cm), aby nie przecisnęło się przez nie dziecko.

6. Gdy w domu są małe dzieci, na dole schodów zamontuj blokadę, aby nie mogły się samodzielnie po nich wspinać.

Jak wyczyścić ramy

Ramy chromowane możemy przetrzeć gąbką z octem, a następnie, żeby zneutralizować zapach, przemyć wilgotną szmatką. Plastikowe oprawy myjemy wodą z płynem do naczyń. Do mycia złoconych ram nie używa się wody – trzeba przetrzeć je połówką cebuli, a potem użyć mokrej ściereczki.

Gdzie przechowywać klucze

Firmy prześcigają się w produkcji pomysłowych pojemników na klucze. Mogą przyjmować one formę karmników dla ptaków, rustykalnych drewnianych pudełek, specjalnych metalowych podkładek w kształcie klucza (do których można wrzucić i drobne), montowanych na ścianie uchwytów stylizowanych na kontakty elektryczne... Wybór jest wielki, ale idea ta sama. Chodzi o to, żeby klucze odkładać zawsze w to samo miejsce. A do tego, moim zdaniem, wystarczy zwykły wiklinowy koszyczek.

Jeśli w domu są zwierzęta

Opieka nad psem czy kotem nie tylko ma wpływ na twój rozkład dnia, ale także generuje dodatkowe obowiązki związane z utrzymaniem porządku. Gdy jednak zalety z posiadania czworonoga przeważają nad uciążliwościami, spróbuj ułatwić sobie zadanie. W przedpokoju trzymaj szmatkę, którą wytrzesz łapy psa po spacerze, szczotki do czesania, wieszak na smycz i rolkę z taśmą klejącą do usuwania sierści z odzieży. Dobrym rozwiązaniem jest położenie w korytarzu koca lub dywanu, który pies polubi. To właśnie w tym miejscu będzie mógł się wytarzać, zetrzeć brud. Warto dać mu taką możliwość, w przeciwnym razie może wykorzystać w tym celu drogi dywan w salonie… Samo posłanie dla pupila należy umieścić w miejscu raczej spokojnym, często jest to sypialnia albo pokój dzienny. Ważne, aby nie było tam zbyt gorąco (tak jak przy kaloryferze), ani wietrznie (zminimalizuj ryzyko przeciągów). Psy bardzo często same wybierają sobie miejsce, gdzie chcą się schować i spać, na przykład osłoniętą przestrzeń pod schodami. Można też kupić specjalne meble, takie jak ławka do przedpokoju, których dolne części zapewniają zwierzakom spokojny azyl. Ciekawostką są meble wzorowane na sprzętach dla ludzi, czyli tapczan czy fotel w wersji mini.

Jak wybrać posłanie dla zwierzaka

Koc w koszyku, dekoracyjny materac, oryginalne siedzisko – niektóre projekty mebli dla czworonogów naprawdę robią wrażenie. Kupując posłanie, zwróć jednak uwagę przede wszystkim na łatwość utrzymania go w czystości. Sprawdź, czy pokrowce można zdejmować i czy materiały, z których są wykonane, bez trudu wypierzesz w pralce. Posłanie musi być na tyle duże, by pies mógł wyciągnąć się na boku. Jeśli zwierzę jest pokaźnych rozmiarów, istotne znaczenie ma też grubość materaca.

Jak usunąć sierść z dywanów i tapicerki

Nawet regularne zabiegi higieniczne, takie jak trymowanie, nie wyeliminują problemu sierści na podłodze i meblach. Problem jest szczególnie dokuczliwy w okresie dorastania psa, a także wiosną i jesienią, gdy zwierzęta linieją. Sierść z dywanu usuniesz gumowymi lub lateksowymi rękawiczkami. Innym sposobem jest oklejenie zwykłej rękawiczki taśmą klejącą (częścią lepką na zewnątrz). W sklepach dostępne są też specjalne klejące rolki oraz gumowe wałki.

Sierść osiadającą na kanapie usuwamy w podobny sposób jak włosy z podłogi: taśmą klejącą lub w gumowych rękawiczkach. Możemy też spryskać kanapę wodą z płynem do płukania tkanin, zostawić na kilka godzin, a następnie użyć odkurzacza z końcówką do zbierania sierści.

Jak pozbyć się brzydkich zapachów

Zapach kociego moczu może naprawdę skutecznie zniechęcić nas do przebywania we własnym domu. Trudno tego uniknąć, gdy zwierzę jest młode lub chore. Jak zneutralizować odór i wyczyścić plamę? Użyj wody utlenionej, pamiętając jednak, że nie można stosować jej na wszystkie tkaniny (najpierw wykonaj próbę w mało widocznym miejscu). Druga metoda to posypanie plamy mąką kukurydzianą, a następnie jej spłukanie. Dobry skutek zapewnia również mieszanka z sody oczyszczonej i wody. Należy nałożyć ją na plamę, a następnie wypłukać wodą z octem.

Co zrobić, by kot nie drapał mebli

Trzeba zapewnić mu miejsce, w którym będzie mógł zaspokoić swój naturalny instynkt. Drapak, stary koc, dywan albo korek (umieszczone na ścianie) zainstaluj w miejscu, w którym często przebywasz. Meble i zasłony spryskaj olejkiem z goździków, którego koty nie lubią.

Kuchnia

STERYLNOŚĆ I SMAK

W mojej lodówce trudno znaleźć zapasy na tydzień lub miesiąc. Trzymam w niej tylko to, co będę mogła wykorzystać na bieżąco. Dzięki temu z dziećmi jemy świeże posiłki i unikamy marnotrawstwa. Wyjątkiem od reguły nieprzechowywania jedzenia zbyt długo są własnoręcznie zrobione mrożonki w niewielkich ilościach. Ten patent „sprzedał" mi jeden ze znanych szefów kuchni. Za jego radą, kupując w czerwcu świeży groszek cukrowy, część przyrządzam od razu, a resztę zamrażam, by wrócić do ulubionego smaku, gdy poczuję tęsknotę za latem. Kuchnia, którą pamiętam z dzieciństwa, kojarzy mi się przede wszystkim z dużym stołem nakrytym obrusem w biało-granatową kratę, fajansowymi kubkami i wazami: z orzechami, jabłkami, pomarańczami. Moja własna kuchnia jest inna, zarówno jeśli chodzi o sposób aranżacji, organizacji pracy, jak i dania, które najchętniej jemy. Można jednak doszukać się wspólnego mianownika: i w moim rodzinnym domu, i w obecnym na domowników musi czekać talerz gorącej zupy.

ODGRUZOWANIE

Zgadzam się z Antheą Turner, że „brudna kuchnia to niebezpieczna kuchnia". Niestety, tłuste naczynia i garnki w zlewie oraz resztki jedzenia na podłodze to skutek uboczny jednej z najbardziej twórczych domowych czynności, jaką jest gotowanie. Ale żeby było pysznie, musi być czysto. Pamiętaj, aby przed przygotowaniem posiłku oraz po nim przetrzeć blaty. Koniecznością jest też codzienne szorowanie zlewu, zamiatanie lub mycie podłogi oraz przetarcie urządzeń kuchennych (takich jak mikser czy trzepaczka) zaraz po użyciu. Przynajmniej raz w tygodniu wyczyść kuchenkę i przeczyść odpływ zlewu roztworem gorącej wody i sody kaustycznej (bardzo silny środek do kupienia w sklepach chemicznych), który dobrze oczyści rury z osadu.

Czym czyścić blaty

Najczęściej używamy do tego celu bawełnianych ściereczek. Papierowy ręcznik równie skutecznie usunie brud, a jednocześnie nie będzie „przechowywał" bakterii.

Pozbądź się wszystkiego, co niepotrzebne, zużyte lub popsute – wyszczerbionych kubków i talerzy, pustych opakowań, nieużywanych pojemników czy obitych garnków. Z blatów usuń słoiczki z przyprawami, stojaki na noże, doniczki z ziołami (można je ustawić na parapecie) oraz urządzenia, których używasz okazjonalnie. Cukier, herbatę, kawę i inne produkty, po które często sięgamy, włóż do jednej szafki. Dzięki temu zyskasz pusty blat, czyli sporo miejsca do krojenia, siekania i zagniatania.

Przynajmniej raz na miesiąc rób generalne porządki w lodówce, wyrzucając produkty, których termin przydatności do spożycia minął (dotyczy to takiej żywności, jak majonez, ketchup, dżemy itp.). Świeże wyroby, sery i wędliny przeglądaj na bieżąco lub kupuj w niewielkich ilościach, bezpośrednio do spożycia.

Sposób na rury

Oprócz sody do czyszczenia odpływu w zlewie można użyć tabletek Alka-Seltzer i octu. Miksturę zostawiamy na parę minut i spłukujemy wodą.

ORGANIZACJA

Strefy kuchenne

Nie wyobrażam sobie sprawnie działającej kuchni bez dobrego noża i deski. Siekanie i krojenie to jedna z tych czynności, które nieodmiennie kojarzą mi się z gotowaniem. Aby były przyjemne, musimy zadbać o odpowiednie stanowisko do pracy. Wolne od zbędnych przedmiotów, a jednocześnie zapewniające łatwy dostęp do wszystkiego, co w danej chwili potrzebne. Przestrzeń kuchenną dzielimy na pięć obszarów:

1. Strefa przygotowywania

Muszą się tu znaleźć miski, robocze sztućce, przydatny sprzęt kuchenny (mikser), podstawowe produkty, takie jak olej czy ocet. Akcesoria kuchenne nie powinny leżeć na blacie. Umieszczamy je w szafkach jak najbliżej strefy przygotowywania lub wieszamy na haczykach (zwykłych lub na przyssawkach).

2. Strefa gotowania

Tu mieści się kuchenka, garnki, patelnie, blachy do pieczenia itp.

3. Strefa zmywania i czyszczenia

Ze zlewem, koszem na śmieci, środkami czystości.

4. Strefa zapasów

Tu przechowujemy trwałe produkty, takie jak mąka, cukier, płatki śniadaniowe (w szafkach), jak również jedzenie o krótszym okresie przydatności do spożycia (w lodówce).

5. Strefa przechowywania

Miejsce na talerze, kubki, filiżanki, sztućce, pojemniki na produkty spożywcze.

Architekci wnętrz sugerują, by przy rozmieszczeniu poszczególnych stref wziąć pod uwagę układ mebli w kuchni:

Wyspa

Kuchnia z wydzielonym pośrodku miejscem do pracy to częsty układ w wielu domach. Wyspa zapewnia swobodny dostęp ze wszystkich stron, jest więc idealna jako blat roboczy oraz pozwala na swobodne rozmawianie z gośćmi podczas przygotowywania posiłków. Niestety, to rozwiązanie wymaga sporej powierzchni. Niektóre firmy z wyposażeniem wnętrz oferują blaty przesuwane, które można przestawiać z miejsca na miejsce.

Litera I

Czyli wszystkie strefy w jednym rzędzie. Rozwiązanie charakterystyczne dla małych kuchni. Aby zoptymalizować pracę, zlew najlepiej umieścić pośrodku, a piekarnik i lodówkę po bokach. Pomiędzy tymi sprzętami należy wygospodarować miejsce na blat roboczy.

Litera L

Meble kuchenne ustawione na prostopadłych ścianach. Taki układ daje dużo możliwości poruszania się po kuchni. Lodówkę i zlew najlepiej umieścić na jednej ścianie, a piekarnik na drugiej.

Litera U

Najmniejsza ścianka jest dobrym miejscem na zlew (jeśli znajduje się w niej okno) lub blat (jeśli otwiera się na pokój). W takim układzie można wygospodarować sporo miejsca na powierzchnię roboczą. Rozszerzeniem takiego układu jest litera G, gdzie

meble tworzą otwarty prostokąt, z przerwą w postaci wolnej przestrzeni na wyjście do pokoju lub drzwi. W tym układzie lodówka i blat powinny znajdować się na krótszych ścianach naprzeciwko siebie, a zlew na długiej ścianie.

Meble na dwóch równoległych ścianach

Zlew ustawiamy po jednej stronie, piekarnik po drugiej.

Tylko to, co konieczne

Ułatwisz sobie pracę, jeśli w kuchni będziesz trzymać tylko rzeczy przydatne w tym pomieszczeniu – na przykład nożyczki, ale z pewnością nie sekator do przycinania roślin. Sztućce, przybory kuchenne oraz drobiazgi w rodzaju otwieracza do puszek, korkociągu, nici itp. schowaj w szufladach. Większe rzeczy ustaw w szafkach, tak by znajdowały się najbliżej miejsca, w którym najczęściej ich używasz – a więc garnki i patelnie w pobliżu kuchenki, talerze, szklanki i kubki blisko stołu itp. Pamiętaj, by sam stół pozostawał niezagracony. Usuń z niego miseczki i rzucone niedbale rachunki, aby dało się go wykorzystywać po prostu do spożywania posiłków. Cięższe garnki, brytfanny itp. trzymaj w dolnych szafkach, a lżejsze talerze i szklanki w górnych.

Oświetlenie do zadań specjalnych

W kuchni oprócz tradycyjnych lamp trzeba zamontować oświetlenie powierzchni roboczych, czyli blatu, stołu, zlewu, kuchenki. Kiedyś najczęściej używano do tego lampek halogenowych, dziś modne są żarówki LED-owe. Można je kupić nawet w postaci specjalnych taśm samoprzylepnych.

Przechowywanie żywności

Po przygotowaniu wygodnego miejsca do pracy możemy zabrać się za przyrządzanie posiłków. Warto wiedzieć, jak długo poszczególne produkty zachowują świeżość, zwłaszcza gdy nie mamy możliwości częstego robienia zakupów.

Herbata

Aby zachować smak, należy chronić ją przed wilgocią, ciepłem i powietrzem. Herbata najdłużej zachowa swoje właściwości przechowywana w szczelnie zamkniętym pojemniku ustawionym w chłodnym miejscu.

Herbatniki

Dłużej zachowają świeżość, jeśli będą przechowywane w zamkniętym słoju lub puszce. Dodatek soli gruboziarnistej pochłonie wilgoć.

Kawa

Mieloną kawę najlepiej przechowywać w szczelnie zamkniętej puszce. Jeśli pijemy mało kawy, nie kupujmy jednorazowo dużych opakowań (nawet jeśli cena jest kusząca), bo aromatyczny zapach znika po około dwóch tygodniach.

Nabiał

Zwykle produkty nabiałowe trzeba zjeść w ciągu kilku dni. Wyjątkiem jest mleko UHT, które zachowuje trwałość nawet przez kilka miesięcy. Stosunkowo długo można przechowywać jaja – ich data przydatności do spożycia wynosi mniej więcej miesiąc.

Owoce i warzywa

Ziemniaki, marchew, jabłka można przechowywać w domu bardzo długo, nawet

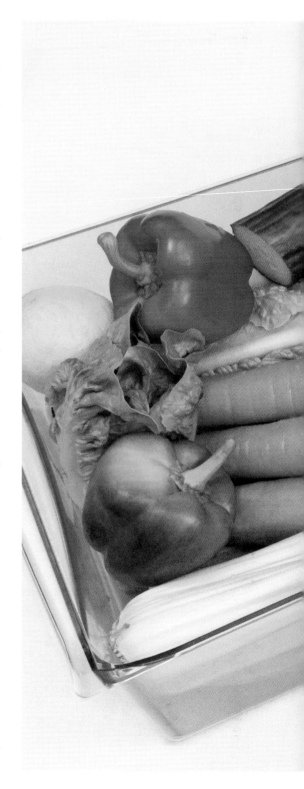

do miesiąca. Są jednak owoce i warzywa dużo delikatniejsze: banany zwykle trzeba zjeść w ciągu tygodnia, a truskawki najlepiej tego samego dnia, kiedy zostały kupione. Trzeba pamiętać, że owoce najlepiej myć bezpośrednio przed spożyciem, ponieważ myte dużo wcześniej szybciej się popsują.

Pieczywo i produkty mączne

Chleb szybko pleśnieje i czerstwieje. Patentem na przedłużenie jego trwałości jest mrożenie. Przechowywany w zamrażarce w małych porcjach (w folii aluminiowej) przetrwa nawet kilka miesięcy, a po rozmrożeniu będzie smakował jak świeży. Ten sposób przechowywania sprawdza się także w przypadku knedli, pierogów i ciasta francuskiego.

Ryby

Trzeba je zjeść w ciągu dwóch dni. Ryby można także zamrozić na okres kilku miesięcy, pamiętajmy jednak, by je uprzednio wypatroszyć.

Tłuszcze

Olej i oliwę można przechowywać przez 2–3 miesiące, masło do daty wskazanej na opakowaniu. To ostatnie najlepiej trzymać w ceramicznej maselniczce, aby nie chłonęło zapachów.

Wędliny i mięso

Suche kiełbasy można przechowywać nawet do miesiąca, surowe mięso do czterech dni.

W większości przypadków najlepszym sposobem na przedłużenie trwałości potraw jest chłód. Trzeba jednak pamiętać, że nie wystarczy produktu włożyć do lodówki, ponieważ półki różnią się temperaturą.

Temperatura w chłodziarce

2 °C	na półce dolnej, nad warzywami
4–5 °C	na półce środkowej
7–8 °C	na półce górnej
9–10 °C	w pojemnikach w dolnej części
10–15 °C	na półkach na wewnętrznej stronie drzwi

- Na **najwyższej półce** przechowujemy **dżemy i powidła**, a także **soki, napoje oraz wodę**.
- Na **dolną półkę**, gdzie panuje najniższa temperatura, wkładamy **świeże mięso i ryby**.
- **Nabiał** (masło, kefiry, desery mleczne, ciasta, śmietany, jogurty, ser biały), **dania gotowe** oraz **sery i wędlinę** trzymamy na **środkowej półce**.
- **Dolne szuflady** są przeznaczone do przechowywania **warzyw i owoców**. Można w nich również umieścić **sery dojrzewające**. Aby warzywa szybko się nie popsuły, nie powinny być przechowywane w torbach foliowych (muszą mieć dostęp powietrza). Sam pojemnik warto wyścielić kilkoma warstwami ręcznika kuchennego, który pochłonie nadmiar wilgoci.
- W **balkonikach na drzwiach** ustawiamy **oleje, przetwory, przyprawy, soki w kartonach, sosy w butelkach i jajka**.

Nie wszystko musi być w lodówce

Wielu produktów spożywczych nie trzeba, a nawet nie powinno się przechowywać w lodówce. Nie wkładamy do niej ziemniaków i cebuli (powieśmy je w drucianym koszu), włoszczyzny ani pomidorów (w pełni rozwiną aromat na słonecznym parapecie kuchennym), a także owoców cytrusowych. Świeże jajka przełożone do ozdobnej miski można przynajmniej przez dwa tygodnie przechowywać na blacie lub w szafce. Również zioła mogą pozostać poza lodówką. Potraktujmy je jak kwiaty – wstawmy do wazonu z odrobiną wody – będą cieszyć oko, pięknie pachnieć, a przy okazji odstraszą owady. W szafkach można również schować masło orzechowe, kremy czekoladowe, a także wiele dobrych serów (pod warunkiem, że owiniemy je w woskowany papier lub pergamin i umieścimy w szklanym albo plastikowym pojemniku).

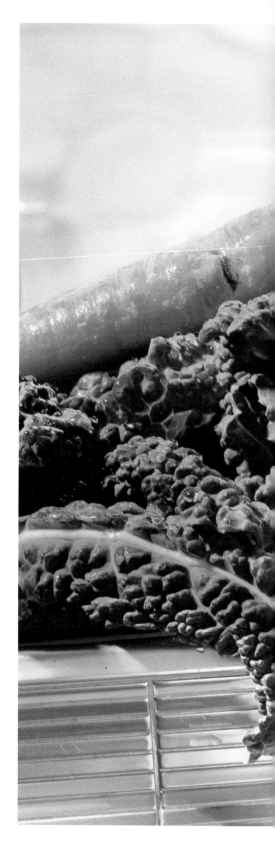

Co przechowywać w pojemnikach

Wysoka temperatura, światło, powietrze i wilgoć to czynniki, które powodują szybsze psucie się żywności. Z tego względu warto przechowywać produkty spożywcze w szczelnie zamkniętych pojemnikach. Najbardziej obojętne dla naszego zdrowia są opakowania szklane. Jeśli możemy, wybierzmy je zamiast plastikowych (które jednocześnie są mniej ekologiczne). Kawę, kaszę, ryż, czyli suche i sypkie produkty da się bezpiecznie przechowywać także w pojemnikach aluminiowych, o ile nie dostanie się do nich woda ani inny płyn.

Gdzie trzymać przyprawy

Przechowywanie w szklanych słoiczkach przedłuży też aromat przypraw. Można zdecydować się na pojemniki drewniane, te jednak łatwo chłoną zapach, trzymajmy więc w nich zawsze te same zioła. Słoiki z przyprawami trzeba ustawiać w suchym i chłodnym miejscu, by nie nasiąkały zapachami gotujących się potraw. Sprawdza się kupowanie przypraw w całości (np. ziarenek pieprzu) i mielenie ich bądź rozdrabnianie w moździerzu tuż przed posiłkiem. Wtedy ich zapach jest najintesywniejszy. Świeże zioła można też zamrozić w kostkach czystej wody mineralnej. Gdy będą potrzebne, wrzucamy „lodowe" przyprawy do dania.

Szkodniki

Jak walczyć z molami spożywczymi

Te uciążliwe szkodniki mogą gnieździć się w ryżu, mące, płatkach owsianych... Często przynosimy je do domu z zakupami. Profilaktycznie można wkładać produkty do zamrażarki, bo wtedy ewentualne larwy zostaną zniszczone przez niską temperaturę. Mole rozmnażają się bardzo szybko (samice składają nawet kilkaset jajeczek), więc jedynym rozwiązaniem jest natychmiastowa eliminacja zakażonych produktów, gdy tylko zauważymy problem. Wynieśmy je z domu od razu, nie zostawiając na dłużej w domowym koszu na śmieci. To jedyny przypadek, który w pełni usprawiedliwia wyrzucanie żywności (w tych okolicznościach i tak nie nadaje się do spożycia). Szafki trzeba następnie bardzo dokładnie oczyścić, po czym równie starannie umyć wodą z mydłem. Na zakończenie wnętrze szafek spryskujemy mieszanką octu i olejków eterycznych, np. cytrynowego lub eukaliptusowego. Możemy też wysypać w szafce garść goździków, położyć laskę wanilii. Im bardziej intensywny zapach, tym lepiej: mole zdecydowanie nie lubią wyrazistych aromatów.

Jak pozbyć się muszek owocowych

Resztki owoców na stole, niedojedzony kawałek pomidora z kanapki czy fermentujący sok pomarańczowy pozostawiony w szklance – to wystarczy, by kuchnię opanowały muszki owocowe, zwłaszcza latem, gdy owoce psują się szybciej. Przyciągają je także otwarte wino, dżemy, konfitury. Muszki żywią się drożdżami obecnymi na nieświeżej żywności i choć żyją zaledwie 10 dni, potrafią w tym czasie błyskawicznie się rozmnożyć i skutecznie uprzykrzyć nam życie. Aby uniknąć pojawienia się tych uciążliwych owadów, trzeba regularnie wyrzucać śmieci (i trzymać je w pojemniku z pokrywką), nie przetrzymywać w zlewie naczyń z resztkami jedzenia, unikać pozostawiania przejrzałych albo nadgryzionych owoców na zewnątrz. Gdy muszki już nas odwiedziły, trzeba wyrzucić wszystkie produkty, co do których mamy podejrzenie, że znajdują się w nich larwy. Potem dokładnie sprzątamy kuchnię, nie zapominając o zlewie i jego odpływach. Nie zostawiamy w nim brudnej i mokrej gąbki. Muszki możemy zwabić, wlewając do naczynia ocet jabłkowy lub balsamiczny, które mają zapach zbliżony do fermentujących owoców. Jeśli dolejemy do niego odrobinę detergentu, owady nie osiądą na powierzchni i się utopią. Po kilku godzinach możesz wylać ocet wraz z owadami. Na muszki źle działa też gorące powietrze z suszarki, lakier do włosów (używaj go jednak w pomieszczeniach innych niż kuchnia) i płyn do mycia szyb. Gdy zauważysz siedlisko owadów, spryskaj to miejsce, a następnie przetrzyj szmatką.

Lodówka

Lodówka, kuchenka i zmywarka (oraz pralka) to najrzadziej wymieniane urządzenia w domu, dlatego uważam, że warto poświęcić trochę czasu i wybrać takie, które spełnią nasze oczekiwania. Jakie czynniki wziąć pod uwagę?

Pojemność

Standardowa pojemność lodówki dla jednej osoby to 120 litrów, a na każdego kolejnego mieszkańca dodajemy 30 litrów. Teoretycznie więc lodówki jednodrzwiowe powinny w pełni zaspokoić potrzeby singli. Mogą być wyposażone w zamrażalnik bądź pełnić jedynie funkcję chłodziarki. Mają niewielką pojemność, dzięki czemu zajmują mało miejsca w kuchni. Lodówki dwudrzwiowe dzielą się na zamrażalnik oraz chłodziarkę. Zwykle są wysokie, a przede wszystkim cechują się dużą pojemnością. Lodówki *side-by-side* mają dwoje drzwi otwieranych na zewnątrz. Po jednej stronie umiejscowiona jest zamrażarka, po drugiej chłodziarka. Ze względu na gabaryty lodówki tego typu nadają się jedynie do przestronnych kuchni.

Klasa energetyczna

Lodówka pracuje non stop, więc to, ile prądu zużywa, ma duże znaczenie. Informuje o tym klasa energetyczna wskazująca na zużycie energii w odniesieniu do normy ustalonej przez Unię Europejską. Oznaczenie klasy energetycznej można znaleźć na winietce efektywności energetycznej urządzenia.

Należy pamiętać, że pobór prądu zależy także od pojemności lodówki. Średnio lodówka klasy A++ zużywa około 200 kWh rocznie, a klasy B nawet do 500 kWh.

Jak zminimalizować zużycie prądu

Lodówka powinna znajdować się daleko od kuchenki, kaloryfera i od okna, aby nie padały na nią promienie słoneczne. Jej tył powinien być oddalony o kilka centymetrów od ściany, aby umożliwić lepsze chłodzenie. Najmniej energii pobiera lodówka, której temperaturę ustawimy na 4–7°C. Każde dwa stopnie mniej to zwiększenie zużycia prądu aż o 16%. Otwierajmy lodówkę jak najrzadziej i na tak krótko, jak to tylko możliwe. Poza tym nie wstawiajmy do niej ciepłych potraw.

Klasy zamrażarki

Klasa zamrażarki informuje o możliwej do osiągnięcia temperaturze wewnątrz urządzenia. Im wyższa, tym niższa temperatura, a przez to możliwość dłuższego przechowywania produktów spożywczych. Stosuje się cztery klasy oznaczone za pomocą gwiazdek:

* – temperatura około –6°C umożliwiająca krótkotrwałe przechowywanie zamrożonych produktów, a także zamrażanie kostek lodu.

** – temperatura około –12°C, co pozwala na przechowywanie mrożonek do 7 dni.

*** – temperatura około –18°C umożliwiająca przechowywanie produktów nawet do 12 miesięcy.

**** – temperatura poniżej –24°C pozwalająca na głębokie mrożenie żywności, którą możemy przechowywać dłużej niż rok.

Niektóre modele mają możliwość ustawienia temperatury nawet do –32°C, co zapewnia bardzo szybkie i głębokie mrożenie.

Wyposażenie

Duża liczba półek w lodówce ułatwia utrzymanie porządku, a swoboda aranżacji wnętrza pozwala uniknąć problemów ze wstawianiem dużych garnków. Moim zdaniem najlepsze są półki z hartowanego szkła, ponieważ łatwo je umyć. Cechują się one także odpornością na pęknięcia i zarysowania oraz wytrzymują kilkukilogramowe obciążenia. Przydadzą się także wydzielone komory na nabiał, pojemniki na jajka, pojemniki próżniowe, wieszaki na butelki, a także balkoniki na kosmetyki i lekarstwa czy nawet na… pizzę.

Przydatne funkcje

- **No Frost** – osuszanie oraz wymiana powietrza zapobiegają osadzaniu się szronu na elementach wyposażenia wnętrza oraz na produktach. Lodówki bezszronowe nie wymagają rozmrażania. Ich wadą jest jednak niska wilgotność, co uniemożliwia dłuższe przechowywanie świeżych produktów.
- **Fresh Frost Free** – zapewnia lepsze warunki przechowywania żywności niż tradycyjne urządzenia bezszronowe. Podwójny obieg powietrza (osobny dla chłodziarki i zamrażarki) sprawia, że żywność w chłodziarkach nie przesusza się. Zapobiega także przenikaniu się zapachów.
- **Powłoka antybakteryjna** – umożliwia dłuższe utrzymanie świeżości i wartości odżywczych przechowywanych produktów, ponieważ zapobiega rozwojowi pleśni i grzybów (nawet na przeterminowanej lub zepsutej żywności).
- **Funkcje superchłodzenia i mrożenia** – pozwalają na czasowe obniżenie temperatury, dzięki czemu można szybko schłodzić lub zamrozić produkty.
- **Alarm** – informuje o niedomkniętych drzwiach po upływie 2 minut.

Klasy energetyczne

A – poniżej 55%
   (przy czym każdy plus przy literze A oznacza o 10% mniej zużycia energii)
B – między 55% a 75%
F – między 120% a 150%
G – powyżej 150%

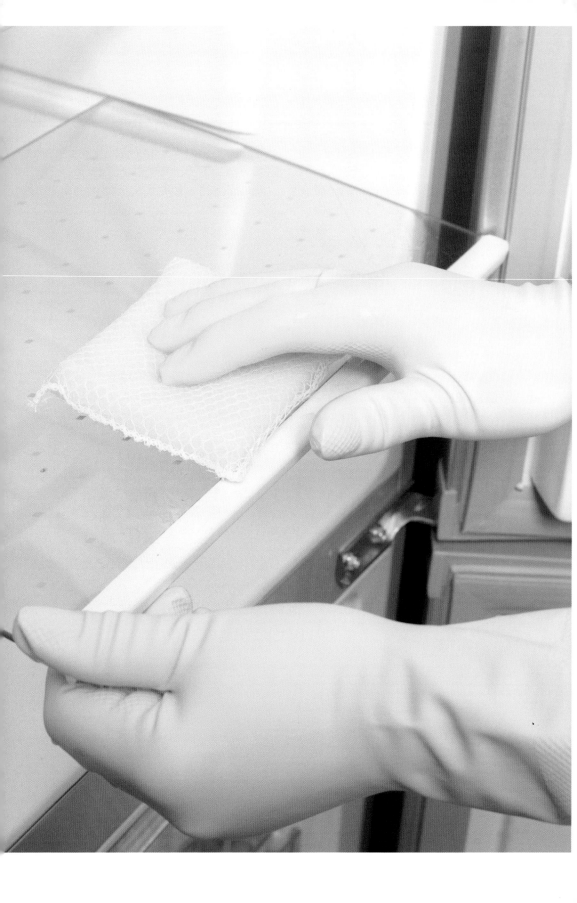

Jak umyć lodówkę

- Przed przystąpieniem do pracy wyłączamy lodówkę (w nowszych modelach przekręcamy pokrętło na 0, w starszych trzeba odłączyć urządzenie od prądu), wyjmujemy żywność, a następnie wszystkie półki i szuflady.
- Przecieramy z zewnątrz wodą z płynem do czyszczenia dużych powierzchni bądź z dowolnym detergentem albo – w przypadku lodówek stalowych – wodą z octem (w proporcji 3 łyżeczki octu na 1 litr wody), ewentualnie płynem do mycia szyb. Aby na stalowej lodówce nie zostawały odciski palców, należy kawałek ręcznika papierowego zanurzyć w niewielkiej ilości oleju jadalnego i wypolerować nim całą powierzchnię.
- Przygotowujemy wyłożone grubą warstwą gazet pojemniki lub miski, do których przekładamy żywność wyjętą z zamrażalnika, co ochroni ją przed rozmrożeniem. Zamiast gazet możemy użyć toreb termoizolacyjnych.
- W czasie gdy lodówka się rozmraża, myjemy półki oraz szuflady w ciepłej wodzie z detergentem i dokładnie wycieramy.
- Segregujemy wyjętą z lodówki żywność. Przeterminowane produkty i puste opakowania wyrzucamy. Przy okazji sprawdzamy przyprawy. Jeśli któraś stoi w lodówce ponad rok, nadszedł czas, aby ją wyrzucić. Przecieramy słoiczki, tubki i pojemniki na żywność.

- Dokładnie przemywamy wnętrze ciepłą wodą z sodą oczyszczoną (1 łyżka sody na 1 litr wody) lub z octem (3 łyżeczki octu na 1 litr wody). Dzięki temu zdezynfekujemy je i pozbędziemy się przykrych zapachów. Nie używajmy innych detergentów, ponieważ mogą zostawić nieprzyjemny zapach, który przeniknie do jedzenia. Kanalik otworu odpływowego przecieramy ściereczką nawiniętą na patyczek do szaszłyka lub patyczkami higienicznymi. Ważne jest, aby po umyciu lodówki wytrzeć ją do sucha.
- Aby zachować uszczelki w dobrym stanie, należy przetrzeć je od czasu do czasu gąbką zwilżoną ciepłą wodą z mydłem, a raz na rok posmarować wazeliną.
- Układamy produkty na półkach i w szufladach. Po generalnych porządkach lodówkę wystarczy wyczyścić raz w tygodniu.

Lodówka pachnąca kawą

By zneutralizować zapachy, warto ustawić w lodówce mały talerzyk, na który wsypujemy mieloną kawę (kilka łyżeczek kawy należy wcześniej podgrzać na suchej patelni) lub opakowanie sody oczyszczonej. Doskonałym pochłaniaczem zapachów są też goździki i cytryna. Najlepiej wbić kilka goździków w skórkę cytryny i położyć na talerzyku z sodą. Można też dołożyć pokrojone w plasterki jabłko. Pochłaniacze wymieniamy podczas sprzątania lodówki.

Uwaga:
Lodówkę rozmrażającą się automatycznie należy dodatkowo rozmrozić trzy razy w roku.

Kuchenka

Kuchenki **gazowe** to dla niektórych jedyny sposób na „prawdziwe" gotowanie. Tanie i łatwe w obsłudze, jednocześnie jednak są urządzeniami o najniższej sprawności energetycznej, a przy tym emitują spaliny bezpośrednio do otoczenia. Płyty **elektryczne** z żeliwnymi palnikami są trudniejsze do czyszczenia i pobierają dużo prądu. Kuchenki **ceramiczne** mają płaską szklano-ceramiczną płytę, która ułatwia usuwanie rozlanych potraw. Pod powierzchnią znajdują się najczęściej spirale elektryczne lub, rzadziej, lampy halogenowe. Kuchenki te mają wiele dodatkowych funkcji, m.in. zabezpieczenie przeciwdziałające skutkom zabawy dzieci (blokada), timer czy czujniki smażenia. Najnowocześniejsze są płyty indukcyjne. Pod ich powierzchnią znajdują się cewki wytwarzające zmienne pole magnetyczne. Ponieważ płyta nagrzewa się tylko od dna garnka, ryzyko przypaleń i poparzeń jest znacznie mniejsze niż w innych urządzeniach. Największe plusy płyt indukcyjnych to szybsze gotowanie i smażenie, niższe zużycie prądu, łatwiejsze czyszczenie oraz większe bezpieczeństwo. Oprócz wysokiej ceny wadą płyt **indukcyjnych** jest wymóg stosowania specjalnych garnków.

Jak czyścić kuchenkę

Jeśli zaraz po zakończeniu gotowania przecieramy kuchenkę, usuwając rozlane płyny i przypalenia, czyszczenie zajmuje zaledwie kilka minut. Gdy jednak dopuścimy do powstania silnych zabrudzeń, musimy jej poświęcić więcej czasu. Zabrudzone płyty kuchenek **emaliowanych** łatwo można wyczyścić mieszaniną **sody oczyszczonej i octu**. Posypujemy płytę sodą, a następnie polewamy octem i zostawiamy na kilka lub kilkanaście minut (wszystko zależy od tego, jak silne są zabrudzenia). Można również przygotować pastę z sody i octu w ceramicznej miseczce i gdy przestanie się pienić, nałożyć wilgotną gąbką lub szmatką na płytę i również odczekać kilka minut (pasta ta świetnie się również sprawdza przy czyszczeniu piekarników). Następnie usuwamy zanieczyszczenia i dokładnie spłukujemy.

Kuchenki **metalowe** możemy wyczyścić pastą zrobioną z mieszaniny octu, sody oczyszczonej i płynu do mycia naczyń. Pastą smarujemy kuchenkę, a po 15–20 minutach szorujemy (najlepiej miękką szczoteczką), spłukujemy ciepłą wodą i dokładnie wycieramy. Kuchenkę warto raz na tydzień natrzeć wazeliną lub olejem. Dzięki temu będzie się mniej brudzić i łatwiej da się ją czyścić.

Płyty **indukcyjne** czyścimy przeznaczonymi do tego celu preparatami. Nie wolno stosować proszku ani druciaka. Przypalenia najlepiej usuwać z lekko rozgrzanej kuchenki specjalną skrobaczką lub ostrym nożem, ale trzeba uważać, by nie zarysować płyty. Można też natrzeć płytę skórką z wyciśniętej cytryny, odczekać kilka minut i zmyć ciepłą wodą.

Sprawność kuchenek

Gazowa	40–42 %
Ceramiczna	71–75%
Indukcyjna	84%

Jak czyścić piekarnik

Potrawy przyrządzone w brudnym piekarniku nie są zdrowe, a ponadto przesiąkają zapachem dania przyrządzanego wcześniej. Dlatego należy go dokładnie umyć po każdym użyciu. Jeśli nie będziemy dbać o czystość piekarnika na bieżąco, jego doszorowanie stanie się prawdziwym wyzwaniem. Aby mu sprostać, przed rozpoczęciem czyszczenia warto dno piekarnika (a także blachy i brytfanny) posypać warstwą soli i podgrzewać aż do chwili, gdy zbrązowieje. Sól ścieramy ręcznikiem papierowym i... rozpoczynamy mycie. Bardzo skuteczna jest też wspomniana wcześniej pasta z sody i octu (równie dobrze sprawdzi się papka z sody oczyszczonej i soli kuchennej), tyle że w piekarniku pozostawiamy ją przynajmniej na pół godziny. Następnie czyścimy wnętrze i dokładnie przecieramy wilgotną ściereczką.

Innym sposobem czyszczenia piekarnika jest spryskanie go płynem z rozpuszczonego w wodzie mydła i boraksu (po 2 łyżeczki na 1 litr). Tę miksturę trzeba zostawić co najmniej na godzinę. Można również posłużyć się preparatem z 1 łyżki parafiny i 2 łyżek soli, który potem spłukujemy osoloną wodą.

Folia aluminiowa do zadań specjalnych

Folia aluminiowania służy nie tylko do przyrządzania potraw. Zwinięta w kulkę działa jak druciak i przyda się do usunięcia większych zabrudzeń.

Kuchenka mikrofalowa

Choć kuchenki mikrofalowe mają tak wiele funkcji, że da się w nich ugotować cały obiad, najczęściej wykorzystujemy je do rozmrażania i szybkiego podgrzania potraw. Wnętrze urządzenia po każdym użyciu należy przetrzeć wilgotną szmatką.

Sprawdzoną metodą na szybkie wyczyszczenie kuchenki i pozbycie się nieprzyjemnego zapachu jest wstawienie do niej miseczki napełnionej wodą z octem w proporcji 1:1 lub wodą z dodatkiem 3 łyżek soku z cytryny. Kuchenkę włączamy na najwyższą moc na 4–5 minut. Gdy woda przestygnie, otwieramy drzwiczki, zanurzamy w miseczce gąbkę lub miękką szmatkę i przecieramy ścianki mikrofalówki.

Niezastąpiona wazelina
Zlew, piekarnik i lodówkę ze stali szlachetnej ładnie wyczyścisz… wazeliną. Wystarczy nanieść ją szmatką, a następnie wypolerować do połysku czyszczone powierzchnie.

Przede wszystkim zlew

Czyszczenie kuchni kończymy na zlewie. Uważam – podobnie jak Marla Cilley, twórczyni popularnego w Stanach Zjednoczonych portalu FlyLady poświęconego sprzątaniu – że zawsze powinien być pusty i lśniący. Sterylny zlew jest ważniejszy niż sterylna podłoga, ponieważ ma ciągły kontakt z żywnością. Regularne czyszczenie i dezynfekcja zapobiegają rozwojowi zarazków i bakterii. Różne rodzaje zlewozmywaków wymagają jednak różnych rodzajów środków czyszczących. Zlewozmywak **emaliowany** można umyć mieszaniną octu i soli (2 łyżki soli na 1 szklankę octu). Świetnie sprawdza się soda oczyszczona – lekko wilgotny zlew posypujemy obficie sodą i szorujemy miękką gąbką lub szmatką. Niezawodna jest również cytryna – połówką równomiernie przecieramy ścianki i zostawiamy na co najmniej pół godziny, a następnie spłukujemy. Cytryna likwiduje przy okazji przebarwienia i plamy z rdzy.

Do czyszczenia **zlewozmywaków ze stali nierdzewnej** warto użyć skruszonej kredy, którą rozprowadzamy za pomocą myjki (w ten sposób da się czyścić również kuchenki, okapy i inne urządzenia ze stali nierdzewnej). Po wyszorowaniu spłukujemy i wycieramy szmatką zwilżoną oliwą. Tłuste plamy usuniemy szmatką zwilżoną denaturatem. Równie skuteczna będzie ściereczka nasączona coca-colą.

Zlewy **granitowe i z kompozytów** czyścimy płynem do mycia naczyń.

Zmywarka

Przy wyborze zmywarki trzeba zwrócić uwagę na pojemność, pobór wody i energii w cyklu mycia, funkcję połowy wsadu, stalowe dno, regulowane kosze i programy. Oprócz stosowania standardowych środków do czyszczenia od czasu do czasu warto wstawić do pustej zmywarki miseczkę z octem i włączyć program z najwyższą temperaturą.

Inne oblicze zmywarki

Niektóre pomysłowe panie domu odkryły, że w zmywarce da się myć nie tylko naczynia. To także dobry sposób na czyszczenie czapki z daszkiem (sztywny daszek nie odkształci się, bo w zmywarce nie ma wirowania), małych plastikowych zabawek (strumień wody doskonale czyści trudno dostępne miejsca, np. w klockach z wypustkami), a nawet szczotek do włosów i pędzli do nakładania makijażu (myjemy je w górnej szufladzie zmywarki, ze szczotki musimy usunąć włosy). W zmywarce można też umyć klosze po oczyszczeniu ich z kurzu. To pożyteczne urządzenie sprawdzi się również przy pasteryzacji słoików: myjemy je w temperaturze dla naczyń silnie zabrudzonych, ustawiając do góry dnem. Temperatura powyżej 60°C i próżnia w słoikach dadzą efekt wyparzenia. W tym przypadku nie używamy tabletek do mycia - korzystamy z czystej wody.

> **Uwaga:**
> W zmywarce nie myjemy porcelany, szkła ręcznie malowanego i dekorowanego, przedmiotów z kryształu, szkła ołowiowego, a także srebrnych, cynowych ani żeliwnych. Ręczne mycie zaleca się również w przypadku desek do krojenia, drewnianych łyżek i łopatek oraz naczyń emaliowanych.

Jak segregować odpady

Plastik, szkło, papier i pozostałe odpady należy wrzucać do oddzielnych koszy. Rzadko kto może jednak pozwolić sobie na trzymanie w kuchni aż czterech pojemników na śmieci. Warto zaopatrzyć się w dwa: jeden na odpady suche, nadające się do recyklingu (plastik, szkło, papier), drugi na mokre (np. resztki jedzenia, odpady organiczne). Ułatwi to segregację przy kontenerach.

DEKORACJA

Wychodzę z założenia, że najlepszą dekoracją w kuchni jest to, co w niej niezbędne. Nie zwisające smętnie z sufitu suszone kwiaty, ale naturalne zioła w doniczkach, domowe przetwory, ładne (czasami zabawne) akcesoria, a nawet noże i garnki.

Noże

Powinniśmy mieć ich w kuchni przynajmniej sześć: nóż szefa kuchni do krojenia i szatkowania, nóż z ząbkami do pieczywa, nóż do krojenia wędlin i filetowania ryb, trybownik do rozbierania mięsa i dwa tzw. jarzyniaki: podgięty do obierania okrągłych warzyw i owoców (świetny do ziemniaków) oraz krótki z ostrym szpicem do wydrążania. Ostrzyć noże należy zawsze na tej samej ostrzałce, w przeciwnym wypadku będą się bardzo szybko tępić. Nie należy ich myć w zmywarce, ponieważ odkształcają się pod wpływem wysokiej temperatury. Noże przechowujemy w specjalnie przeznaczonych do tego drewnianych stojakach, z oddzielnymi otworami na każdy z nich. To praktyczne rozwiązanie bardzo ułatwia pracę. Niekiedy samo przechowywanie noży może stać się elementem dekoracji. Świetny efekt dają kontrasty, na przykład wysokiej klasy błyszczące noże w stylu *high-tech* przechowywane w staromodnych pękatych słoikach.

Garnki

Garnki ze **stali nierdzewnej** znajdziemy w większości gospodarstw domowych. Są stosunkowo niedrogie, trwałe, odporne na zarysowania i odkształcenia. Ich wadą jest to, że nie przewodzą dobrze ciepła. Osoby, które korzystają z **żeliwnych** naczyń, uważają, że są one niezastąpione w kuchni. Ich zalety to niezwykła wytrzymałość i dobra izolacja cieplna. Równocześnie jednak mają znacznie większy ciężar niż garnki z innych materiałów i wymagają systematycznej konserwacji. **Aluminium** stosuje się w 50% produkowanych naczyń ze względu na to, że doskonale przewodzi ciepło. Niestety, jest to metal lekki, na którym łatwo powstają zarysowania. Może również reagować z niektórymi potrawami. Wielu profesjonalnych kucharzy wybiera garnki z **miedzi** ze względu na doskonałe przewodzenie ciepła, co sprawia, że nagrzewają się szybko i równie szybko dostosowują się do zmian temperatury. Garnki te są jednak drogie, a ponadto reagują z kwaśnymi produktami i wymagają regularnego polerowania. Naczynia ze stali chirurgicznej mają wysoką odporność na korozję, zawierają chrom i nikiel. Sporządzone ze stopu lekkich metali akutermiczne dno bardzo łatwo kumuluje ciepło, co skraca czas gotowania.

Jak wybierać garnki

Przede wszystkim powinny nadawać się do mycia w zmywarce. Dobrze też, aby dały się przechowywać jeden w drugim – zajmą w szafkach mniej miejsca. W pokrywkach powinny znajdować się otwory do odprowadzania pary. Najpierw kupmy najpotrzebniejsze – kilka niewielkich **do gotowania** mleka i sosów, pięciolitrowy do zupy i duży (przynajmniej dziesięciolitrowy) na przykład do bigosu czy gulaszu. Do gotowania sprawdzają się garnki stalowe z grubymi ściankami i dnem. **Smażyć** najlepiej w garnkach z powłoką ceramiczną lub teflonem, co zabezpiecza potrawy przed przywieraniem. Najbardziej funkcjonalne naczynia do smażenia mają średnicę 30–40 cm i niskie ścianki. Do **gotowania na parze** służą kilkupiętrowe garnki z podwójnym dnem. Im więcej składników chcemy razem gotować, tym wyższy garnek wybieramy. Do **pieczenia i duszenia** nadają się naczynia żeliwne, które długo trzymają ciepło i są równie niezawodne na kuchence, jak i w piekarniku.

Patelnie

Do przygotowania dobrego obiadu przydadzą się patelnie. Na początek wystarczy **uniwersalna**, okrągła z dość niskim brzegiem, i głęboka – do duszenia i przygotowywania potraw jednodaniowych (jej odmianami są wok i **patelnia sauté**). Warto też kupić patelnię **grillową**, w której dnie znajdują się rowki sprawiające, że do potrawy od dołu dociera powietrze, a ponadto nadające daniu charakterystyczny wygląd. Gdy rozsmakujemy się w gotowaniu, pewnie skusimy się na patelnie do konkretnego rodzaju potraw, na przykład do jaj (z wyprofilowanymi otworami do smażenia), naleśników (płaska z płytkimi brzegami), ryb (karbowane dno dopasowane do kształtu ryby), klusek (głębokie otwory w kształcie jajek) i racuchów (otwory pozwalające na smażenie małych naleśników i placków) oraz dwustronne patelnie do omletów i wafli.

Zestaw minimum, proszę

Jeśli masz małą kuchnię lub przeraża cię olbrzymi wybór naczyń kuchennych, zdecyduj się na zestaw podstawowy: jeden duży garnek, dwa średnie i dwa małe. Plus dwie różnej wielkości patelnie.

Deski do krojenia

Drewniane

Nie tępią noży, ale są niehigieniczne, wchłaniają wodę i zapachy (dlatego cebulę i czosnek należy kroić zawsze po tej samej stronie deski). Łatwo je zarysować i zabarwić (np. krojąc zioła lub marchewkę). Co pewien czas należy zaimpregnować je olejem lnianym.

Plastikowe

Wolno je myć w zmywarce, nie nasiąkają wodą, ponadto są niedrogie i lekkie. Nie pochłaniają zapachów, ale łatwo je zarysować.

Ze szkła hartowanego

Nie wchłaniają zapachów ani wody oraz szybko wysychają. Można je stosować również jako podkładki do gorących garnków. Nie rysują się, lecz tępią noże.

Z trawy bambusowej

Są lekkie, schną w ekspresowym tempie i mają atrakcyjną cenę. Antypoślizgowe zaciski uniemożliwiają przesuwanie się podczas krojenia.

Deski z kamienia naturalnego

Są odporne na zarysowania. Nie pochłaniają zapachów i nie barwią się, ale noże podczas krojenia ślizgają się po nich i tępią. Takie deski nie nadają się do rozbijania mięsa.

Ceramiczne

Są higieniczne i łatwo je utrzymać w czystości, ponieważ jedzenie do nich nie przywiera.

Zanim pokroisz

Jeśli właśnie kupiłaś nową drewnianą deskę, przemyj ją oliwą lub olejem spożywczym. Po użyciu deskę można przetrzeć cytryną, aby zneutralizować zapachy mięsa lub warzyw, które były na niej krojone.

Akcesoria kuchenne

Noże, patelnie i deski do krojenia to wierzchołek góry lodowej akcesoriów. Z czasem z pewnością zgromadzisz imponującą kolekcję łopatek, misek, szczypczyków, młynków i dozowników. Na początek jednak powinnaś mieć przynajmniej kilka różnej wielkości misek (w tym jedną bardzo dużą do mieszania sałat i kilka plastikowych z miarką). Niezbędny jest także durszlak (do odcedzania makaronu, warzyw oraz mycia owoców) ze stabilną podstawą i wygodnymi uchwytami oraz dość gęste sito (najlepiej ze stali nierdzewnej

– do przesiewania mąki i przecierania jarzyn). Niewiele zdziałamy bez tłuczka do mięsa. Moim zdaniem najpraktyczniejszy jest metalowy. W sprzedaży są ponadto siekacze i wałki do mięsa, które sprawdzają się równie dobrze. Nie zapomnij o chochlach (mała do sosów, duża do zup) i tarce (płaska, gdy masz niewiele miejsca, lub czworokątna, umożliwiająca nie tylko ścieranie, ale i szatkowanie). Na mojej liście niezbędnych przyborów kuchennych muszą się znaleźć idealne do naczyń z delikatnymi powłokami (np. teflonowych) drewniana łyżka, łopatka (do odwracania kotletów na patelni lub mieszania sosu) i mątewka. A ponadto wałek do ciasta, blachy do wypieków (prostokątne, wąskie, tzw. keksówki, formy na babki i tortownica), naczynie żaroodporne (do zapiekanek), praska do ziemniaków, obieraczka do warzyw, wyciskarka do czosnku, korkociąg, otwieracz do puszek oraz moździerz do rozcierania przypraw i ziół. Przyznam, że ten ostatni należy do moich ulubionych przyborów kuchennych od czasu, gdy zobaczyłam, jak często używa go w swoich programach Jamie Olivier. Wraz z solidnym granitowym moździerzem w mojej kuchni pojawiło się także zamiłowanie do rozcieranego w nim kminu rzymskiego, który wydziela intensywny, nieco cytrusowy zapach.

Kuchenne akcesoria mogą przypominać biżuterię. Korkociąg do wina jednej z firm kosztuje 71 tysięcy dolarów. Dlaczego? Bo wykonano go z 51 kawałków tytanu (używanego w lotnictwie), a dodatkowo pokryto białym złotem. Czasem spotykam w sklepach przybory, których praktyczność bywa wątpliwa, ale które stanowią dowód na to, że w kuchni można się bawić. Przykłady? Krajalnica do bananów, maszynka do obierania jabłek czy foremki do jajek sadzonych.

Jedzenie jako ozdoba

Dla mnie sam wygląd żywności może być piękną ozdobą: kolorowe makarony w różnych rozmiarach i kształtach, ziarna kawy, domowe ciastka owsiane zamknięte w prostych pojemnikach i słoikach sprawiają, że wnętrze kuchni staje się bardziej osobiste i przytulne. Świeże zioła w doniczkach nie tylko przydadzą się jako dodatek do posiłku, ale zastąpią kwiaty. Butelka oliwy z małej wytwórni przywieziona z wakacji spełni rolę efektownej dekoracji. Przytulności kuchni doda półka z książkami kulinarnymi. Bądźmy jednak szczerzy i nie ustawiajmy na niej pozycji, do których nigdy w życiu nie zajrzeliśmy! Jeśli gotujemy mało i nie przeczytaliśmy żadnego poradnika kulinarnego, możemy pokusić się o zamówienie chociażby podkładek pod gorące kubki z naszymi ulubionymi przepisami.

Najlepszą ozdobą kuchni będą jednak przetwory, które sami przygotowaliśmy. Rząd równych słoików z konfiturami, dżemami czy kompotami daje miłe wrażenie dostatku i obfitości. Dziś mamy nieskończone możliwości podkreślenia efektu home made przez zdobienie słoików etykietami, małymi serwetkami z lnu czy kawałkami szarego papieru do pakowania.

Jak urządzić spiżarnię

Dziś jest to nieco lekceważone pomieszczenie, które rzadko uwzględnia się w planach rozkładu domu (kiedyś miejsce na przechowywanie jedzenia znajdowano nawet w małych mieszkaniach). Szkoda, bo w spiżarni można schować domowe przetwory w większej ilości, produkty stałe, takie jak cukier czy mąka, żywność w puszkach (fasola, groszek, konserwy rybne) oraz słoikach (ogórki kiszone, oliwki, gotowe kompoty itp.). Spiżarnia nie musi zajmować całego pomieszczenia. Można zorganizować ją we wnęce ściennej, komórce, pod schodami, głębszej szafie lub szufladzie. Najwygodniej będzie, gdy znajdziemy dla niej miejsce jak najbliżej kuchni. Warunkiem koniecznym jest odpowiednia temperatura: musi być niższa od reszty pomieszczeń (i najlepiej nieprzekraczająca 15°C). Wyposażenie spiżarni jest bardzo proste: to półki i haczyki (na których wieszamy zioła czy czosnek).

**Mój ulubiony
przepis na konfitury**

Do świeżych owoców (np. truskawek lub malin) dodajemy tyle samo cukru (czyli kilogram cukru na kilogram owoców). Zostawiamy na kilka godzin, aż puszczą sok. Następnie całość doprowadzamy do wrzenia, a potem gotujemy jeszcze kilka minut. Mieszamy, aby konfitura się nie przypaliła. Gorącą nakładamy do słoików, które szczelnie zamykamy i ustawiamy do góry dnem. Jest pięknie. I smacznie.

Jadalnia

PORZĄDEK ROZMOWY

Żyję bardzo szybko. Zadania, obowiązki, wyzwania – tak wygląda mój zwykły dzień, nawet w weekendy. I może dlatego na zasadzie kontrastu bardzo podoba mi się idea *slow life*: świadomego, nieśpiesznego życia, uważnego spojrzenia na siebie i innych. Kiedyś okazję do codziennego kontaktu z dziećmi, rodziną i przyjaciółmi dawały wspólne posiłki. Były szansą na zaspokojenie apetytu nie tylko na pyszne jedzenie, ale i serdeczne kontakty międzyludzkie, budowanie relacji oraz interesujące rozmowy. Dziś niejednokrotnie spożywamy je byle jak – w pracy, samotnie przed komputerem lub na kanapie przed telewizorem. Na szczęście obserwuję powrót do tradycji wspólnego biesiadowania i przyznam, że bardzo mnie to cieszy. Nawet jeśli z rodziną jemy tylko jeden posiłek dziennie, a przyjaciół zapraszamy dwa razy w miesiącu, to czas spędzony razem jest po prostu bezcenny. Nieprzekonanych pragnę zapewnić, że to najlepsza inwestycja, która w przeciwieństwie do lokat czy funduszy przyniesie nam gwarantowane korzyści: trwałe więzi.

ORGANIZACJA
STÓŁ W ROLI GŁÓWNEJ

Bardzo niewiele osób może pozwolić sobie na wygospoda-rowanie w domu oddzielnego miejsca zwanego jadalnią. Zwykle rolę tę pełni po prostu stół i krzesła ustawione w kuchni bądź w pokoju dziennym. Miejsce, w którym urzą-dzamy kącik do jedzenia, możemy wyróżnić kolorem ścian lub innym rodzajem podłogi. Architekci wnętrz twierdzą, że w jadalni sprawdzają się ciepłe barwy, sprzyjające relaksowi (np. brązy, ale także żółcień i pomarańcz, które dodatko-wo pobudzają apetyt). Warto natomiast unikać agresywnej czerwieni oraz usypiających błękitów. Moim zdaniem nie musimy brać tych porad do końca serio, bo jeśli cudownie nam się je i rozmawia w niebieskich wnętrzach, dlaczego mielibyśmy sobie tego odmówić? Przy organizacji kącika do spożywania posiłków trzeba pamiętać, że wokół stołu i krzeseł powinno być sporo miejsca, aby dało się do nie-go podejść z każdej strony. W przypadku obszernej jadalni wielkość i kształt stołu nie grają roli. W takiej sytuacji można zafundować sobie nawet bardzo duży mebel, na 10–12 osób. W mniejszej dobrym rozwiązaniem są stoły okrągłe, które łatwiej dopasować do ciasnych pomieszczeń. Warto rozważyć też stoły rozkładane lub z dostawkami, które można wyko-rzystać w przypadku większej liczby gości.

Również szerokość stołu nie jest bez znaczenia. Pamiętaj-my, że pojedyncze nakrycie zajmuje około 40 cm, a z pewno-ścią chcielibyśmy mieć też trochę miejsca na półmiski, wazy i wazony z kwiatami. Blat o szerokości 80 cm to niezbędne minimum, ale dla większej wygody i komfortu warto wybrać 90–100 cm.

Jak wyczyścić drewniany stół
Przetrzyj zabrudzenia wilgotną ściereczką, potem wytrzyj do sucha. Stół możesz przetrzeć preparatem do mebli albo sięgnąć po prostsze rozwiązanie – oliwkę dla niemowląt. To nada powierzchni odpowiedni połysk. Na zakończenie wypoleruj blat bawełnianą szmatką.

Obrusy

Obrusy bawełniane

Bawełnę można prać w wysokich temperaturach, dlatego dość łatwo usunąć z takich nakryć plamy (więcej informacji o wywabianiu konkretnych rodzajów plam znajdziesz w rozdziale poświęconym garderobie). Nieco więcej problemów może stwarzać prasowanie, bo na bawełnianych tkaninach pozostają zwykle zagniecenia. Jeśli obrus jest wykorzystywany na specjalne okazje, można skorzystać z nieco zapomnianego już zwyczaju krochmalenia i maglowania.

Obrusy lniane

Tkaniny lniane w naturalnych kolorach można prać w wysokiej temperaturze, barwione raczej w 40°C. Len bardzo długo wygląda dobrze, a kolejne prania dodają mu miękkości. To materiał nieszczególnie podatny na prasowanie, dlatego lepiej zabrać się za to, gdy tkanina jest jeszcze wilgotna.

Obrusy koronkowe i szydełkowe

Wymagają odpowiedniego „naciągnięcia", bo pod wpływem prania lub czyszczenia gniotą się i tracą kształt. Takie obrusy trzeba też wyprasować.

Jak zrobić krochmal

Zmieszaj mąkę ziemniaczaną z zimną wodą. Następnie zalej roztwór gorącą wodą. Im więcej mąki użyjesz, tym wykrochmalone tkaniny będą sztywniejsze.

Zastawa stołowa

Starannie dobrana zastawa może być piękną ozdobą. Warto wybrać renomowanego producenta, a z jego oferty zestawy z tradycyjnej linii, aby uniknąć problemów w razie konieczności odkupienia stłuczonej filiżanki. Pamiętajmy, że im prostszy design (np. minimalistyczny wzór i czysta biel), tym łatwiej dostosować zastawę do różnych aranżacji stołu. Warto mieć, tak jak nasze babcie, przynajmniej dwa rodzaje zastawy: do codziennego użytku i na specjalne okazje. W pierwszym przypadku wystarczy ciekawa ceramika. W drugim – można pokusić się o porcelanę (miśnieńską, duńską albo... polską), która będzie nam służyć latami. Ważne jest, by dobrać zastawę do stylistyki całego mieszkania. Jeśli jest ono nowocześnie urządzone, to talerze w stylu wiejskim raczej się nie sprawdzą.

Ułożenie zastawy na stole

Zawsze mówię uczestniczkom programu, że to nic trudnego, bo ułożenie zastawy odwołuje się do naszej wygody. Układ talerzy i sztućców sam podpowiada, co najpierw będziemy jeść. Trzy talerze ułożone jeden na drugim wskazują na trzydaniowe menu. Kieliszki i szklanki ustawiamy w rzędzie, pod kątem 45° jeden wobec drugiego lub półkolem. Najbliżej talerza stoi kieliszek lub szklanka, których używamy do przystawki. Za nim szklanka na wodę mineralną, węższy kieliszek do wina białego i szerszy do czerwonego. Zaczynając posiłek, w pierwszej kolejności sięgamy po sztućce leżące na zewnątrz (przystawka, zupa, danie główne), a na końcu po sztućce deserowe (na górze). Warto dodać, że łyżeczka do deserów powinna być zwrócona w lewą stronę, widelczyk – w prawą. Noże układamy brzuszkiem w stronę talerza, nóż do pieczywa kładziemy na specjalnym talerzyku. Jeśli menu kolacji jest bardzo rozbudowane, a liczba koniecznych sztućców przekracza trzy sztuki z każdej strony, kolejne noże i widelce przynosimy wraz z wnoszonymi potrawami.

Jeśli zdarza ci się zapomnieć, co na stole stawiamy z prawej, a co z lewej, nie musisz nosić przy sobie fachowej literatury. Możesz odwołać się do kilku sztuczek mnemotechnicznych:

- Z palca wskazującego i kciuka lewej ręki utwórz literkę b jak bułka (czyli pieczywo), a z prawej d jak drinki (czyli wszelkie napoje) i już wiesz, co ma stać po lewej, a co po prawej stronie.
- Wyobraź sobie skrót bmw. B znowu oznacza bułkę (lewa strona), m – menu główne (środek), a w – wodę (prawa strona).
- Nie potrafisz zapamiętać, po której stronie ma leżeć widelec, a po której nóż? Skojarz, że widelec ma w sobie literkę l (jak lewo).

Sztućce – misja specjalna

Noże, widelce i łyżki dobieramy w zależności od posiłku.

Sztućce obiadowe – w skład zestawu wchodzi łyżka do zupy, nóż, widelec oraz mała łyżeczka.

Sztućce do ryb i owoców morza – składają się z widelca oraz tępego noża, który służy tylko do oddzielania mięsa ryb. Sztućce do owoców morza to zestaw do ślimaków (dwudzielny widelec i szczypce), sztućce do homara (szpikulec, cążki i nóż) oraz ostro zakończona łyżka do ostryg plus krótki nóż.

Sztućce do spaghetti – to długi widelec z trzema zębami oraz okrągła łyżka.

Sztućce deserowe – składają się z łyżeczek do herbaty oraz mniejszych do kawy, widelczyków do tortu lub widelczyko-łyżeczek (łyżeczka zakończona trzema ząbkami) oraz długiej łyżeczki do lodów.

Sztućce do serów – zestaw różnych noży o wielkości dopasowanej do twardości i rodzaju sera.

Sztućce do serwowania – to chochla do zupy, chochelka do sosów, łopatka do ciasta, zestaw do serwowania sałat oraz porcjowania mięsa.

Niektóre potrawy wymagają użycia sztućców innych niż tradycyjne. Łyżka do zupy serwowanej w bulionówce jest mniejsza od tej służącej do jedzenia z głębokiego talerza. Podobnie noże i widelce do przystawek są mniejsze od tych do dań głównych. Nóż w kształcie łopatki służy nie do krojenia, a do delikatnego rozdzielania potraw, takich jak ryba. Nożyk do pieczywa ma charakterystyczne wygięte ostrze. Lody z pucharków jemy za pomocą długiej łyżeczki, a w cukierni cy umieszczamy łyżeczkę typu szufelka.

Zestaw obiadowy

Sztućce do spaghetti

Sztućce do ryb

Zestaw do ślimaków

Łyżka
do lodów

Łyżeczka
do herbaty

Nóż
do sera

Nóż
do masła

Widelec
do ciasta

Nóż
do steków

Kieliszki

Wino zaserwowane w eleganckim kielisz-
ku smakuje zupełnie inaczej niż podane
w szklance. Pamiętajmy, że specjalistyczne szkło jest projektowane pod konkretne
trunki, tak by uwydatnić ich smak i zapach. Kieliszki powinny być przezroczy-
ste i wypolerowane, a ich brzeg gładko
oszlifowany, bez wałeczka – tak aby wino
spływało prosto na język.

Wino czerwone
Podaje się w większych kieliszkach, o pojemności od 350 do 780 ml. Czasza powinna lekko zwężać się ku górze (w kieliszkach typu „bordeaux") lub delikatnie roz-
chylać się (w kieliszkach typu „burgund").

Wino białe
Kieliszki do wina białego są mniejsze
i smuklejsze niż do czerwonego. Wina
białe są delikatniejsze i nie potrzebują
tyle wolnej przestrzeni, aby prawidłowo
uwolnić aromat.

Wino musujące, szampan
Kieliszki wydłużone, o bardzo stromej
czaszy i małym wylocie. Wydłużona konstrukcja i wąskie dno kieliszka sprawiają,
że wino musuje do ostatniej kropli.

Porto, sherry, wina deserowe i aperitif
Stosuje się kieliszki przypominające kieliszki do wina czerwonego, ale mniejsze,
o pojemności 75–100 ml, o dość stromych
ściankach.

Whisky
Do picia tego trunku używamy szklanek
w kształcie walca z grubym dnem.

Jak dbać o zastawę

Porcelana
Jest to materiał na tyle delikatny, że rzadko nadaje się do mycia w zmywarce. Nie używamy ostrych zmywaków ani proszków czyszczących, bo mogą uszkodzić ręczne zdobienia i pozostawić rysy.

Szkło i kryształ
Szklanki i kieliszki możemy myć w zmywarce. Aby pięknie błyszczały, dodajemy płyn nabłyszczający lub przecieramy skórką z cytryny. Kryształy nie zmatowieją, jeśli umyjemy je w chłodnej wodzie.

Sztućce ze srebra
Nie używaj ich do jajek i majonezu, bo pokrywają się wtedy ciemnymi plamami oraz wytwarzają intensywny i dość nieprzyjemny zapach. Aby lśniły, zanurz je w roztworze z gorącej wody (1 litr), octu (1,5 łyżki) i sody oczyszczonej (1 łyżka). Spłucz zimną wodą i wypoleruj.

Szwedzki stół
Przygotowujesz przyjęcie na ponad dwadzieścia osób? Jeśli nie zatrudniłaś pięciu kelnerów, zapomnij o sadzaniu gości przy stole i serwowaniu posiłków. Tutaj rozwiązaniem pozostaje wyłącznie profesjonalnie przygotowany szwedzki bufet. W pierwszej kolejności ustaw przystawki i przekąski, następnie mięso, ryby, sery i słodkości. W przypadku ciast bardzo praktyczne będą piętrowe patery. Piętrowo ułóż także talerze, w ten sposób zaoszczędzisz miejsce. Na końcu rozłóż sztućce i serwetki oraz ustaw szkło (szklanki i kieliszki). Postaraj się ulokować stół w takim miejscu, by wszyscy mieli do niego łatwy dostęp.

Jak zorganizować domowe przyjęcie

Domówki są modne od paru lat. W przytulnych warunkach własnego domu można bawić się lepiej niż restauracji. Trzeba tylko wiedzieć, jak zorganizować spotkanie, na którym dobrze poczują się nie tylko goście, ale i ty sama.

1. **Określ charakter imprezy.** Czy jest to zwykłe spotkanie towarzyskie, urodziny dziecka, uroczystość rodzinna? A może chcesz zaprosić do domu potencjalnego partnera biznesowego? Od rodzaju imprezy zależy zarówno lista zaproszonych gości, jak i mniej lub bardziej formalny sposób organizacji.

2. **Pomyśl o temacie przewodnim.** Jeśli podejmujesz swojego szefa, nie oszałamiaj go imprezą w stylu *country western*. Ale w innych przypadkach warto popuścić wodze fantazji. Na czterdzieste urodziny męża możesz pokusić się o imprezę w stylu lat 70. (bo wtedy właśnie się urodził). Szklanki z dwiema kostkami cukru,

talerze z napisem GS, papierowe torebki z Peweksu i śledź w śmietanie stworzą wyrazisty klimat.

3. **Ustal menu.** Tematem przewodnim mogą być także serwowane potrawy. Wieczór rodzimych win i dobranych do nich staropolskich dań z pewnością zapadnie gościom w pamięć bardziej niż kulinarny miszmasz.

4. **Określ budżet.** Zastanów się, ile pieniędzy chcesz przeznaczyć na każdego gościa oraz ile potrzebujesz jedzenia i alkoholu. Dopisz do tego koszty ewentualnych drukowanych zaproszeń, dekoracji itp.

5. **Zrób listę gości.** Zastanów się, czy mogą oni zaprosić także swoich znajomych, czy też liczba uczestników jest ściśle określona i nie do zmiany. Wyślij zaproszenia lub zadzwoń z odpowiednim wyprzedzeniem (np. dwutygodniowym).

6. **Wybierz miejsce.** Powinno być dostosowane do liczby gości, tak aby mogli swo-

bodnie jeść i rozmawiać. Jeśli organizujesz przyjęcie w ogrodzie, weź pod uwagę plan awaryjny w przypadku deszczu lub chłodu.

7. **Pomyśl o dzieciach.** Gdy wśród twoich gości będzie dużo dzieci, przygotuj dwa stoły – jeden dla dorosłych, drugi dla maluchów. W ten sposób unikniesz rozgardiaszu i przy okazji dasz dzieciakom trochę swobody. Podczas przyjęcia, kiedy najmłodsi mają już dość towarzystwa dorosłych (i vice versa), pozwól im pobawić się w pokoju. Warto wcześniej wymyślić jakieś gry i zabawy. Dzieci mogą też pobawić się na podwórku lub w ogrodzie, wyjść z psem na spacer, odwiedzić kolegę. Nie zmuszaj ich do kilkugodzinnych nasiadówek w towarzystwie ciotek, wujków i babci.

8. **Posprzątaj. I to dokładnie.** Pamiętaj, że goście rozejdą się po całym domu, więc nie zostawiaj niezasłanego łóżka w sypialni. Z całą pewnością będą korzystać z toalety, tarasu, zaoferują ci pomoc w kuchni. Duże prace (np. przycinanie trawnika) wykonaj przynajmniej z tygodniowym wyprzedzeniem. Dzień przed imprezą sprawdź, czy masz czyste obrusy, odpowiednią ilość zastawy, serwetki, dodatki do dekoracji stołu.

9. **Jak najwięcej przygotuj przed przyjęciem.** Nie ma nic bardziej frustrującego niż pani domu siedząca non stop w kuchni i pilnująca garnków.

10. **Zrelaksuj się.** Im mniej nerwów, tym sprawniej wszystko przebiegnie. Nie biegaj bez przerwy między gośćmi, nie strofuj dzieci i nie martw się, że coś się nie udało. Zły nastrój gospodyni to największe faux pas, bo sprawia, że goście czują się niemile widziani. Lepiej porozmawiać ze znajomymi (poświęć każdemu kilka minut), powspominać dawne czasy, niż bez przerwy przejmować się, czy wszystkim smakował pasztet z królika i jakie wrażenie zrobiła twoja zastawa.

Savoir-vivre przy stole

Gdy zapraszamy przyjaciół do domu, nie musimy podejmować ich według reguł protokołu dyplomatycznego. Są jednak proste zasady, które pozwalają wprowadzić ład przy wspólnym jedzeniu.

1. Jako pierwsza nabiera potrawy najstarsza kobieta lub najważniejszy gość. Półmisek podajemy najpierw paniom, a potem panom, starając się przestrzegać hierarchii wieku.

2. Gospodarze nakładają sobie jedzenie na talerz jako ostatni.

3. Gdy goście obsługują się sami, dobrym zwyczajem jest pomoc mężczyzn siedzącym obok kobietom (z prawej strony).

4. Alkohol nalewa pan domu.

5. Ryby podaje się przed daniami mięsnymi.

6. Zimne przekąski serwuje się przed gorącą zupą, a ciepłe – po zupie.

7. Sery podaje się po daniu głównym, przed deserem.

8. Po deserze możemy zaproponować gościom kawę lub herbatę, likier albo koniak.

9. Owoce nadziane na brzeg szklanki (cytryna, pomarańcza) wrzucamy do środka, wyciskając sok mieszadełkiem.

10. Gdy serwujemy potrawy, które łatwiej jeść palcami (np. żeberka), na stole powinna stać miseczka z wodą do opłukania dłoni.

DEKORACJA

Uważam, że dekorowanie stołu to jedna z najprzyjemniejszych domowych czynności. Zapraszając gości, właśnie w to zadanie wkładałam sporo czasu i inwencji. Trzeba jednak pamiętać, że ozdoby to uzupełnienie posiłku, a nie cel sam w sobie, dlatego nie powinny przeszkadzać ani w jedzeniu, ani w rozmowie. Goście muszą widzieć swoje twarze, a płatki z olbrzymich bukietów nie mogą wpadać w talerze. Co zrobić, by jadalnia wyglądała odświętnie i elegancko? Na co dzień wystarczą kwiaty w wazonach – tych tradycyjnych bądź w szklanych miseczkach, w których pływają wyłącznie kwiatostany. Ciekawym rozwiązaniem są wazony łączone – na przykład kilkanaście miniwazoników z pojedynczymi różami lub tulipanami.

Dekorowanie stołu

Stół możemy też dekorować w zależności od pór roku. Jesienią pięknie będą prezentować się kiście jarzębiny lub szklana misa wypełniona kasztanami, mchem i suszonymi liśćmi. Zimą możemy wybrać jabłka i orzechy, wiosną sięgnąć po tulipany, bazie, forsycję, a latem – polne kwiaty. Zasada jest jedna – im mniej, tym bardziej elegancko. Przepych i nadmiar dekoracji zarezerwujmy dla okresu Bożego Narodzenia.

Stół urodzinowy

Modnym pomysłem są kolorowe balony LED-owe. Każdy z nich świeci migającym światłem, zmieniając przy tym kolory. Aby uzyskać dodatkowy efekt, balony można napełnić helem i wypuścić, aby unosiły się pod sufitem. Po włączeniu będą świecić aż 48 godzin.

Stół na przyjęcia

Świetnym sposobem na efektowną dekorację odświętnego stołu mogą być szklane klosze na kwiaty. Rośliny umieszczone w takim naczyniu wyglądają wyjątkowo romantycznie i oryginalnie. Można w nich umieścić także owoce, suszone dekoracje, porcelanowe figurki lub… muffinki. Przy dekoracji stołu na przyjęcia można sugerować się motywami kolorystycznymi (np. stół granatowy) lub tematycznymi (np. czekolada). Pamiętajmy, aby dostosować temat i kolor do rodzaju jedzenia. Brokuły w otoczeniu różowych serwetek zdobionych kokardą będą smakować gorzej niż na neutralnym białym talerzu, ustawionym na jasnym drewnianym stole.

Stół noworoczny

W tym ważnym dniu spodziewamy się, że kolejny rok będzie lepszy i szczęśliwszy. Z tym przekonaniem dobrze korespondują „rogi obfitości" – zwinięty w rulon sztywny kolorowy papier, z którego wysypują się wszelakie dobra, na przykład cukierki w błyszczących papierkach.

Stół walentynkowy

W tym przypadku możemy zaszaleć z takimi kolorami, jak czerwony czy różowy. Miłym gestem będzie postawione przy talerzu serduszko włożone w karbowany papierek (taki jak do muffinków).

Stół wielkanocny

Tu mamy ogromne pole do popisu. Ciekawym rozwiązaniem jest udekorowanie stołu kępkami świeżej rzeżuchy. Z kolei w puste opakowania po jajkach warto wstawić miniaturowe doniczki z kwiatkami. Oryginalnym pomysłem jest ustawienie pośrodku stołu „kawałka trawnika" (może być sztuczny lub prawdziwy, wysiany w drewnianym korytku), który dekorujemy pisankami, kładąc je zarówno na trawie, jak i dookoła.

Stół komunijny

Najważniejszy jest biały obrus oraz jednolita zastawa, najlepiej również w kolorze białym lub kremowym. Na takim stole ładnie wyglądają serwetki z materiału. Istotnym elementem dekoracji są proste świece oraz świeże kwiaty: rumianek, białe róże albo storczyki.

Stół na Boże Narodzenie

Sprawdzają się tradycyjne kolory: biel, czerwień, zieleń, złoto (choć niekoniecznie wszystkie naraz!). Do dekoracji świątecznego stołu można użyć gałązek świerku i głogu oraz jabłek (polerowanych prawdziwych lub małych sztucznych). Na ten czas warto wyciągnąć z szafy najbardziej fantastyczne świeczniki i bogatą zastawę. Stół można też udekorować zabawkami – drewnianym reniferem, miniaturką sanek.

Jak składać serwetki w wachlarz

1. Serwetkę złóż na pół, aby
   utworzyła prostokąt.
2. Składaj serwetkę w małe centymetrowe
   paski raz z jednej, raz z drugiej
   strony (w harmonijkę) mniej więcej
   do trzech czwartych szerokości.
3. Ponownie złóż na pół po stronie,
   gdzie nie ma zagięcia.
4. Z części nieułożonej w harmonijkę zrób
   nóżkę: zegnij po skosie i podwiń pod spód.
5. Połóż na stole lub na talerzu,
   opierając serwetkę na nóżce.

Serwetki

Przyznam, że jestem zwolenniczką serwetek wykonanych z tkanin, a nie papieru.
Choć te ostanie są higieniczne i bardzo wygodne w użyciu, efekt elegancji na stole
zapewni jedynie ładna serwetka z lnu bądź
koronki.

Jak składać serwetki w kieszonki

1. Złóż serwetkę na pół.
2. Zwiń w rulonik z jednej strony
   do połowy szerokości.
3. Odwróć na drugą stronę.
4. Zwiń w rulonik pozostałą część serwetki.
5. W tak powstałe kieszonki
   włóż nóż i widelec.

Świece

Nie znam równie taniego i szybkiego sposobu na transformację pomieszczenia i uzyskanie miłej atmosfery. Świeczki mogą być wykonane z różnych materiałów: stearyny, parafiny, wosku pszczelego (te ostatnie wydzielają naturalny aromat miodu). Pamiętajmy, że najdłużej palą się te, które nie wydzielają żadnego zapachu i nie są barwione. Aby przedłużyć żywotność świecy, przytnijmy jej knot (do ok. 80 mm). Im dłuższy, tym bardziej intensywny płomień, a tym samym większa szybkość spalania.

Świece najlepiej zużywać na bieżąco. Jeśli jednak mamy spore zapasy, musimy je odświeżyć. Gdy okaże się, że długo magazynowane świeczki poszarzały, wylej na szmatkę odrobinę spirytusu i przetrzyj, a będą wyglądały jak nowe. Gdy są zakurzone, wypoleruj je kawałkiem starej pończochy, która znakomicie zbiera kurz. Niestety, efektem ubocznym magicznego nastroju stwarzanego przez świeczki jest kapiąca stearyna, która może zaplamić i świecznik, i obrus. Aby ograniczyć kapanie, włóż świeczkę na dobę do wody z dodatkiem dwóch łyżek soli.

Jak usunąć resztki wosku

Gdy wosk zdążył zaschnąć, spróbuj usunąć go ze świecznika pod bieżącą gorącą wodą (jeśli materiał, z którego wykonano ozdobę, można myć). Drugim sposobem jest włożenie świecznika do lodówki, a po uzyskaniu przez plamę odpowiedniej twardości, podważenie jej nożem.

Mój ulubiony świecznik

Nie trzeba godzinami szukać w sklepach oryginalnych produktów. Jeśli nie masz w domu żadnych ozdób, a właśnie spodziewasz się gości, odwróć do góry dnem kieliszek do czerwonego wina. Na górze umieść podgrzewacz, a w czaszy dekorację, jaką podpowie ci fantazja. Na przykład piękną różę.

Salon

ZAPROSZENIE DO HARMONII

Kiedyś w salonie przyjmowano gości. Eksponowano najlepsze meble i dywany, bo pokój dzienny był czymś w rodzaju wizytówki domu. Dziś to miejsce wydaje się bardziej zwyczajne, stało się żywą, wielofunkcyjną przestrzenią. Jeśli jakieś pomieszczenie w domu ma kojarzyć się ze słowem „wspólnota", to właśnie to. Tu urządza się domowe biuro, spędza czas z dziećmi, ogląda telewizję oraz relaksuje na kanapie. I nadal przyjmuje przyjaciół i znajomych...

ODGRUZOWANIE

Pokój dzienny to miejsce, w którym przebywa najwięcej osób – ty, twoje dzieci, partner, goście. Bawicie się, pracujecie i leniuchujecie. Nic dziwnego, że bardzo trudno określić, kto robi w nim największy bałagan. Rozrzucone gazety, pozostawione na stole filiżanki, otwarte książki, których nikt od kilku godzin nie czyta, porzucony pod szafką pilot od telewizora – to sprawia, że wchodząc do salonu, mamy wrażenie pewnego nieładu. Spróbuj ustalić, kto wprowadza nieporządek. Dzieci rzucają na podłogę tornistry? Naucz je, by zostawiały torby w swoim pokoju. Mąż oglądał telewizję i zostawił puszkę po orzeszkach? Poproś, by puste opakowania wyrzucał, gdy tylko skończy jeść przekąski. Krewni w odwiedzinach odkładają płaszcze na kanapę? Następnym razem wskaż im wieszak w przedpokoju, gdzie mogą zostawić okrycia. Być może i ty sama masz wkład w bałagan – bo gdy dopijasz kawę, nie odnosisz filiżanki do kuchni.

Gdy wyrobisz właściwe nawyki w domownikach, sprzątanie będzie trwało krócej. Salon najlepiej posprzątać wieczorem, wtedy rano nie wchodzimy do zagraconego pomieszczenia. Zbierz naczynia ze stołu, poproś dzieci o zebranie zabawek, książki odłóż na półki, gazety do stojaka. Co kilka dni odkurz dywan, a raz na rok zapewnij mu porządne pranie. Dywany czyścimy w zależności od materiału, z którego zostały wykonane. Syntetyczne – rozpylaczem z ciepłą wodą. Możemy też nałożyć na plamę papkę z trocin oraz octu i odkurzyć ją, gdy zaschnie. Do dywanów wełnianych można użyć sody oczyszczonej. Nakładamy ją na zabrudzenie i po kwadransie odkurzamy (więcej informacji o pielęgnacji dywanów znajdziesz w rozdziale poświęconym zasadom sprzątania).

Akcja: odplamianie

Pokój dzienny to nie tylko najbardziej chaotyczne, ale też najbardziej zaplamione miejsce w domu. Jak pozbyć się najczęstszych zabrudzeń?

Ślady po gorącym naczyniu na stole

Gdy stawiamy na drewnianym stole gorący kubek bez podkładki, na blacie pozostanie brzydki ślad. Aby się go pozbyć, można potrzeć zabrudzone miejsce kawałkiem parafiny, wypolerować korkiem (wystarczy ten od butelki), a następnie intensywnie przetrzeć bawełnianą szmatką. Innym sposobem jest przygotowanie papki z soli i oliwy. Nakładamy ją na problematyczne miejsce na kilka godzin, a po zaschnięciu ścieramy i polerujemy suchą szmatką do błysku.

Palce na meblach

Dzieci podczas zabawy dotykają wszystkiego, co im się nawinie pod rękę. Nie trzeba dodawać, że nie mają szacunku dla starannie wypolerowanych mebli. Ślady po zabawie usuniesz wacikiem lub szmatką zwilżoną benzyną kosmetyczną. Połysk meblom nada olej lniany. Do wypolerowania użyj bawełnianej szmatki.

Ślady po wodzie

Gdy woda wyleje się na drewnianą powierzchnię, pozostaje brzydki zaciek. Osusz powierzchnię plamy, a następnie zlikwiduj ślad ściereczką nasączoną miksturą z oleju jadalnego i rozpuszczonego wosku.

Jak usunąć gumę z dywanu

Guma do żucia zaplątuje się we włókna dywanu. Aby ją łatwiej usunąć, użyj kostek lodu. Gdy pod wpływem niskiej temperatury guma stwardnieje, delikatnie podważ ją nożykiem. Odkurz dywan, a ewentualne resztki usuń spirytusem. Gotowe!

Jak pozbierać drobiazgi z podłogi

Często w salonie gubią nam się małe przedmioty, na przykład biżuteria. Gdy nie możemy znaleźć jej na pierwszy rzut oka, spróbujmy odnaleźć ją podczas odkurzania. Jeśli na rurę odkurzacza nałożysz starą pończochę, pierścionek lub kolczyk nie znajdą się w worku na kurz i brud, tylko zostaną zatrzymane przy wlocie.

Ślady po tłuszczu

Posyp mebel solą lub zasypką dla niemowląt. Zostaw na kilka godzin (albo na noc). Następnie usuń sól i zasypkę oraz dokładnie przetrzyj mebel.

Lepkie ślady po soku

Usuniesz je za pomocą fusów do kawy zmieszanych z wodą. Ten sposób sprawdza się także w przypadku plam z alkoholu.

Ślady po owadach

Jeśli plama jest świeża, można ją usunąć przekrojoną na pół cebulą. Do starszych plam użyj preparatu złożonego z krochmalu i oliwy (w proporcji 1 do 2) lub wody z amoniakiem. Ciemne meble wyczyścisz fusami z kawy, jasne – białym winem.

Plamy z atramentu

Do świeżych plam najlepiej od razu przyłożyć bibułę i zmieniać ją do momentu, aż przestanie wchłaniać atrament, a następnie zmyć pozostałości zimnym mlekiem. Po wyschnięciu miejsce po plamie przetrzyj szmatką z sokiem z cytryny, a potem wypoleruj. Do usuwania atramentu używa się też denaturatu.

Jak pielęgnować meble

Meble drewniane

Drewniane meble pięknie wyglądają, zwłaszcza jeśli zapewnimy im odpowiednią pielęgnację. Trzeba pamiętać, że drewno nie lubi zbyt wysokich temperatur (może pękać) ani wilgoci (pod jej wpływem wypacza się). W usuwaniu niewielkich rys z mebli sprawdzi się wazelina. Można ją zostawić na dobę, a potem intensywnie wyczyścić powierzchnie. Pamiętajmy, aby do pielęgnacji drewna używać wyłącznie miękkich, delikatnych ściereczek, bo te ostrzejsze zostawią wgłębienia i ślady. Do nadawania meblom blasku używamy preparatów zawierających substancje, które posłużyły do wykończenia mebli.

Piwo doda blasku
Do pielęgnacji mebli dębowych i mahoniowych można użyć ciepłego piwa. Po przetarciu szmatką odzyskają blask.

Meble olejowane

Czyścimy szmatką z olejem wzdłuż słojów, czyli naturalnych linii drewna. Zabieg powtarzamy co dwa – trzy miesiące, dzięki czemu olej głęboko i równomiernie wniknie w głąb. Meble pielęgnowane w ten sposób nie niszczą się, są odporne na plamy i draśnięcia. Drobne zabrudzenia możemy usuwać wilgotną ściereczką.

Meble woskowane

Do ich pielęgnacji używamy preparatów na bazie wosku pszczelego. Nie nakładamy ich bezpośrednio na mebel, tylko najpierw na ściereczkę. Preparat dobieramy w zależności od koloru i rodzaju drewna.

Meble lakierowane

Były modne w czasach PRL, dziś znowu wracają do łask. Lakier jest jedynym wodoodpornym wykończeniem drewna. Do czyszczenia takich mebli można więc używać wielu środków, także zwykłej wilgotnej gąbki lub szmatki. Lakier jednak dość szybko traci dobry wygląd, pęka i szarzeje. Aby temu zapobiec, można użyć preparatów z woskiem lub specjalnych odświeżaczy do drewna lakierowanego.

Meble fornirowane

Mają cienką drewnianą warstwę ochronną, są więc dość podatne na niszczenie. Pielęgnujemy je jak meble z litego drewna, ale używając znacznie mniejszej ilości preparatów, bo wierzchnia warstwa nie może ich dużo wchłonąć.

Czystość tkwi w szczegółach

Podczas sprzątania salonu skupmy się nie tylko na ogólnym wyglądzie pokoju, ale

Meble kontra podłoga

Przesuwanie mebli może zakończyć się nie tylko nową aranżacją pokoju, ale i porysowaniem podłogi. Aby tego uniknąć, zabezpiecz nóżki filcowymi nakładkami.

i na detalach. Nie zapomnijmy więc o wyczyszczeniu kaloryfera (za pomocą szczotki do butelek owiniętej w gazę) oraz rogów sufitu (skórkami od chleba). Jeśli w pokoju dziennym znajduje się instrument, taki jak pianino czy keyboard, przetrzyj jego klawisze spirytusem. W ten sposób dłużej zachowają biel.

Tylko dla niepalących

Jeśli sama nie palisz, a właśnie pożegnałaś palących gości, ustaw w pokoju naczynie z octem. Ocet pochłonie resztki dymu.

„Koty" z kurzu – skąd się biorą

„Koty" to kłębki sierści, włosów, złuszczonego naskórka, włókien tkanin, martwych owadów, pyłków i ziaren piasku nawianych z zewnątrz, które osiadają na podłodze. Szczególnie widoczne są w pomieszczeniach bez dywanów i bardzo suchych. Aby zmniejszyć ich występowanie, trzeba zadbać o nawilżenie pokoju dziennego. Pomóc mogą specjalistyczne nawilżacze, popularne w latach 70. pojemniki z wodą na kaloryfery i dużo roślin doniczkowych. Do zbierania kłębów brudu z podłogi można użyć szczotki z gumowym zakończeniem.

ORGANIZACJA

Warto zadbać, aby w pokoju dziennym wyraźnie
podkreślić poszczególne strefy – część wypoczyn-
kową, z kanapą, stolikiem na kawę czy telewizorem, oddzielić na przykład od miejsca przeznaczo-
nego do pracy, z biurkiem i komputerem.

Jak zorganizować domowe biuro

Podobno co siódmy Europejczyk pracuje w domu. W Polsce mówi się jedynie o trzech procentach chętnych do pracy na odległość, ale dane te są moim zdaniem nieco zaniżone. Nawet jeśli to, co robimy, nie do końca można określić mianem telepracy, prawdopodobnie większość z nas wykonuje dodatkowe zadania w domu. Musimy też mieć miejsce, gdzie w spokoju można przejrzeć i zapłacić rachunki, uporządkować dokumenty, zrobić plany dnia albo notatki. Gdy nie mamy możliwości urządzenia oddzielnego gabinetu, postarajmy się ustawić stół do pracy lub biurko w spokojnym miejscu, najlepiej przy oknie (kojący widok doda nam energii w chwilach zmęczenia). Warto starannie wybrać krzesło, które wcale nie musi przypominać szarych obrotowych mebli charakterystycznych dla korporacji. Nowoczesny design jest jednak jak najbardziej wskazany, zwłaszcza jeśli współgra z resztą pomieszczenia. Pamiętajmy, że w angielskim powiedzeniu *home office* nacisk kładzie się na domową przytulność. Nie róbmy z salonu bezosobowego biura, ale znajdźmy w nim mały kącik roboczy. Niezależnie od tego, czy zdecydujemy się na skandynawską prostotę, czy biurko wygrzebane na giełdzie staroci, trzeba do tego dołożyć przynajmniej komputer z podłączeniem do Internetu, urządzenie wielofunkcyjne z drukarką, półkę lub szafkę na dokumenty oraz dobrą lampę. Niekoniecznie musimy za to mieć telefon stacjonarny, coraz częściej wypierany przez komórki. Miejsce do pracy powinno być tak zaprojektowane, aby zapewniało nam nie tylko maksymalną efektywność, ale także bezpieczeństwo dla zdrowia. Jeśli stary monitor emituje szkodliwe promieniowanie, krzesło jest sztywne, a biurko nieodpowiedniej wysokości – zakończymy dzień bólem głowy, a nie zawodowym sukcesem.

Jak wybrać dobre krzesło

1. Sprawdź możliwość regulacji. Fotel powinien się łatwo obniżać i podwyższać, aby dostosować go do wysokości biurka i wzrostu użytkownika. Regulowane powinno być też oparcie. Większość z nas podczas pracy mimowolnie pochyla się do przodu. Oparcie nadmiernie odchylone w tył tylko pogłębia ten proces i nie pozwala na zachowanie prawidłowej postawy.

2. Wypróbuj elastyczność fotela. Gdy przeciągasz się, powinien delikatnie się odchylać, dostosowując do ruchu ciała.

3. Wybierz odpowiedni materiał. Obicia z tkaniny są miękkie, wygodne i przewiewne, ale szybko się brudzą. Materiały skóropodobne łatwo się nagrzewają i kleją w przeciwieństwie do prawdziwej skóry, która zachowuje stałą temperaturę.

4. Dobierz optymalną wagę. Lżejsze fotele łatwiej przesuwać z miejsca na miejsce. Cięższe zapewniają większą stabilność.

5. Zanim kupisz, usiądź. Będziesz wiedziała, że to odpowiedni fotel dla ciebie.

Czy leci z nami pilot?

Nie będziemy szukać pilota od telewizora lub innych sprzętów elektronicznych, jeśli znajdziemy im stałe miejsce. Może to być szafka pod telewizorem, ale też specjalna nakładka z kieszeniami, którą warto umieścić z boku kanapy.

Jak wyczyścić komputer i sprzęt elektroniczny

To prawdopodobnie jedyne sprzęty w domu, które trudno wyczyścić domowymi sposobami. Przyda nam się oczywiście miękka ściereczka do usunięcia kurzu z obudowy i patyczki z wacikami nasączone wodą lub alkoholem, które pozwolą dotrzeć do mało dostępnych powierzchni. Dodatkowo jednak musimy zaopatrzyć się w sprężone powietrze (do wydmuchiwania kurzu ze szczelin) oraz specjalistyczną piankę w sprayu do czyszczenia obudowy i monitora. Obudowę komputera czy telewizora warto też przetrzeć szmatką z płynem antystatycznym stosowanym do płukania tkanin, dzięki czemu kurz będzie osadzał się wolniej. Do czyszczenia ekranów LCD nie używa się papierowych ręczników. Zamiast nich lepiej wybrać filtry do kawy, wykonane z czystej celulozy i niepozostawiające pyłków.

Jak dbać o telewizor

Zanim zaczniesz czyścić telewizor, wyłącz go. Kurz możesz usunąć ściereczką (np. irchową) albo odkurzaczem z miękką szczotką. Jeśli to wystarczy, nie czyść telewizora

dodatkowymi środkami. Jeśli nie – użyj specjalistycznych preparatów do pielęgnacji odpowiedniego rodzaju monitora. Nie sięgaj po płyny do mycia szyb, bo zawarty w nich amoniak uszkodzi ekran. Pamiętaj, że im rzadziej czyścisz telewizor na mokro, tym dłużej będzie służył.

Jak przechowywać płyty DVD i CD

Najlepszym rozwiązaniem będzie zakup specjalnych przegródek. Wybierzmy te, które pozwalają na przechowywanie płyt w takiej samej pozycji jak książki, czyli w pionie. Trzymanie ich poziomo przez dłuższy czas może powodować wypaczenia. Podczas wkładania płyty do odtwarzacza trzymaj ją za krawędzie, nie za środek, a po zakończeniu słuchania lub oglądania

Nie toń w papierach

Regularnie sprawdzaj, czy wszystkie dokumenty są ci jeszcze potrzebne. Zachowuj te, które posiadasz wyłącznie w wersji papierowej. Dziś wiele dokumentów tego nie wymaga, można je w razie potrzeby wygenerować elektronicznie. Ogranicz drukowanie, oszczędzisz w ten sposób czas i przyczynisz się do ochrony środowiska.

zawsze odkładaj do koperty albo opakowania. Płyty powinny być czyste i odkurzone – w razie problemów z usunięciem zabrudzeń sięgnij po wodę destylowaną. Do opisywania używaj specjalnych markerów. Jeśli na płycie znajdują się cenne dane, zrób kopię.

Co zrobić z plątaniną kabli

Nawet gdy na biurku udaje nam się utrzymać idealny porządek, leżące pod nim zwoje kabli demaskują brak organizacji. Najprostszym sposobem na pozbycie się kłopotu spod nóg jest… korzystanie z urządzeń bezprzewodowych. Kable, których nie można się pozbyć, warto uporządkować przez spięcie tych, które biegną obok siebie, lub podłączenie razem w jednej listwie zasilającej. Najlepiej byłoby jednak usunąć je z podłogi i podwiesić w mało widocznym miejscu, na przykład za biurkiem. Podłączanie kabli do urządzeń ułatwią specjalne otwory w biurku. Jeśli ich wykonanie nie jest możliwe (bo np. mamy piękny zabytkowy mebel), możemy użyć klipsów do papieru i zaczepić o nie górną część kabla.

Jak uporządkować dokumenty

W ramach wstępnej selekcji można wrzucić dokumenty do wiklinowych koszyczków, odpowiednio opisanych. Na przykład: „Rachunki zapłacone", „Rachunki do zapłacenia", „Paragony", „Polisy ubezpieczeniowe". Gdy dokumentów jest dużo, przydadzą się bardziej zaawansowane sposoby przechowywania, takie jak teczki czy segregatory. Ułatwią one odnalezienie poszukiwanych papierów. Rachunki kładziemy do teczki z dwoma folderami (na opłacone i czeka-

jące na uregulowanie). Dokumenty gwarancyjne wkładamy w koszulki i wpinamy do segregatora. Jeśli mamy dużo sprzętu na gwarancji, ułóżmy je w porządku alfabetycznym lub tematycznie (poszczególne części można zaznaczyć kolorowymi karteczkami). Paragony są małe i łatwo je zawieruszyć. Trzymajmy je w kasetce lub koszulce na dokumenty, z otwarciem na górze, by nie wypadły. Do przechowywania polis ubezpieczeniowych (na życie, mieszkanie, samochód) przyda się teczka harmonijkowa, zwłaszcza w przypadku wieloletniej kontynuacji ubezpieczenia.

Jak długo przechowywać dokumenty

Na zawsze – akty urodzenia domowników, potwierdzenie zawarcia małżeństwa lub wyrok rozwodowy, testament, akty zgonu osób bliskich, dowód osobisty (do czasu ewentualnej zmiany danych), świadectwa pracy, ważne pisma urzędowe (np. informacje o zgromadzonym kapitale na emeryturę), akty notarialne dotyczące zakupu mieszkania lub domu.

Do czasu wygaśnięcia – umowy kredytowe i ubezpieczeniowe, umowy kupna i sprzedaży samochodu, dowody zakupów towarów na gwarancji.

Przez pięć lat – roczne zeznania podatkowe i związane z tym dokumenty, takie jak faktury potwierdzające prawo do skorzystania z ulgi, dowody zakupu odliczanych towarów i usług itp.

Przez rok – paragony na większe zakupy, wyciągi z rachunków i kart bankowych, dowody wypłaty gotówki z bankomatów (można ten czas ograniczyć do dwóch okresów rozliczeniowych), rachunki telefoniczne, niektóre potwierdzenia wpłaty, na przykład z poczty.

DEKORACJA
JAK URZĄDZIĆ
DOMOWĄ BIBLIOTECZKĘ

Dom bez książek jest jak pokój bez okien – mówi znane powiedzenie. Zgadzam się. Sama oprócz klasyki mam na półkach sporo inspirujących książek (ostatnio *Bez ograniczeń* Chrissie Wellington, godnej podziwu sportsmenki, wybitnej triathlonistki i czterokrotnej zwyciężczyni zawodów Ironman). Poza walorami duchowymi ładnie urządzona biblioteka pełni też funkcję dekoracyjną. Do ułożenia książek możemy wykorzystać tradycyjny regał, regał na kółkach, przesuwany z miejsca na miejsce, lub przytwierdzaną do ściany półkę (ciekawie wyglądają półki zbliżone kolorem do ściany). Księgozbiór ładnie prezentuje się również w narożniku pokoju lub w naturalnej wnęce (półki mogą być murowane, a przestrzenie pomiędzy nimi oświetlone).

Nie należy przechowywać książek w miejscu, gdzie pada na nie światło słoneczne (blakną) i gdzie występuje wilgoć (butwieją). Najlepiej ustawić je prosto (nie skośnie), wspierając pierwszą i ostatnią pozycję specjalną podpórką. Duże i ciężkie albumy kładziemy poziomo, resztę książek ustawiamy blisko siebie, dobierając je wielkością. Przy pojedynczych półkach możemy książki ułożyć bardziej fantazyjnie (część pionowo, część poziomo) tworząc własną kompozycję.

Jeśli mamy duży księgozbiór, problemem staje się kurz. Aby uniknąć powstawania bardzo grubej warstwy, książki odkurzamy raz w tygodniu albo specjalną miotełką, albo po prostu wilgotną szmatką. Niektóre odkurzacze zaopatrzone są w specjalną wąską końcówkę przeznaczoną do tego zadania. Raz na pół roku warto zrobić bardziej gruntowne porządki: ściągnąć książki z półek i wyczyścić każdą z nich z osobna. Rzadkie i cenne woluminy możemy zaopatrzyć w specjalne, sztywne i przejrzyste okładki chroniące przed kurzem. W krajach skandynawskich popularny jest zwyczaj wykańczania półek lnem, co zabezpiecza przed osiadaniem pyłu i brudu, a jednocześnie dodaje wnętrzu wiejskiego uroku.

Podziel się książką

Dzisiejsze księgozbiory to niekoniecznie kolekcje złożone z samych białych kruków. Zadbaj o to, aby tytuły, które masz na półkach, odpowiadały etapowi życia, na którym właśnie jesteś. Jeśli zostałaś mamą, zrób miejsce na książki o macierzyństwie i pielęgnacji niemowlaka; gdy zmieniasz zawód, niech na regale dominują fachowe podręczniki. Zostaw sobie kilka ukochanych książek „na zawsze", resztę sprzedawaj, wypożyczaj lub wymieniaj. Niekoniecznie musisz kupować nowe tytuły: powraca moda na wypożyczanie z bibliotek publicznych. Chodzi o to, by półka z książkami żyła, a nie zarastała kurzem.

Kanapa – twoja strefa relaksu

Skóra czy tkanina – to odwieczny dylemat przy wyborze sofy. Kanapy obite tkaniną uchodzą za bardziej przytulne, skórzane są eleganckie, łatwiejsze w konserwacji i wolniej się niszczą. Zanim wybierzemy sofę, weźmy pod uwagę, czy w domu są małe dzieci i zwierzęta domowe. Jak intensywnie zamierzamy z niej korzystać? Czy będzie służyła tylko domownikom, czy także gościom? Przede wszystkim jednak pomyślmy o swoim komforcie: czy miło mi będzie spędzać czas na tej kanapie z książką lub przed telewizorem? Czy jest przyjemna w dotyku? I jak dużo czasu będę musiała poświęcać na to, by ją wyczyścić?

Kanapa ze skóry

Wyczyszczą ją płatki mydlane rozpuszczone w ciepłej wodzie. Oporne zabrudzenia usuń za pomocą szczoteczki do zębów zmoczonej w tym samym roztworze. Gdy mebel przeschnie, warto przetrzeć obicie oliwką dla dzieci, która nada skórze miękkość i połysk. Kiedyś gospodynie do odświeżania skóry i usuwania drobnych zadrapań używały ubitej na sztywno piany z białek. Po wtarciu i wyschnięciu nakładały wosk i po kilku godzinach polerowały. Trzeba pamiętać, że właściwie konserwowana skóra nie powinna być sztywna (wtedy łatwiej pęka). Aby przywrócić jej elastyczność, można użyć preparatu złożonego z oleju, terpentyny i mleka (w równych częściach) oraz octu (ok. 10% roztworu). Całość dokładnie mieszamy i bawełnianą ściereczką wcieramy kolistymi ruchami w skórzane obicie. Po wchłonięciu i wyschnięciu nakładamy pastę natłuszczającą i polerujemy. Skóra jest materiałem łatwym w pielęgnacji, można usunąć z niej nawet ślady pleśni. Jeśli dostaliśmy w spadku kanapę przechowywaną w wilgotnym pomieszczeniu, zlikwidujemy je szmatką zwilżoną terpentyną. Jeśli to nie pomoże, możemy użyć papieru ściernego, a następnie przemyć obicie wodą z dodatkiem amoniaku.

Kanapa ze skaju i imitacji skóry

Myjemy ją gąbką nasączoną wodą z mydłem. Do czyszczenia takich obić nie wolno stosować środków zawierających alkohol, naftę, amoniak ani wosk, bo skóra robi się sztywna. Można za to wykorzystać... krem nivea.

Kanapa z materiału

Jeśli jest bardzo zabrudzona, będzie wymagała użycia specjalistycznego odkurzacza. Można go wypożyczyć lub zamówić pełną usługę czyszczenia. Przy mniejszych zabrudzeniach sięgnij po zwykły domowy odkurzacz (aby dotrzeć w każde miejsce, użyj tylko rury, bez końcówki). Plamy po alkoholu lub kawie usuniesz przy pomocy preparatów do czyszczenia dywanów. Aby odświeżyć obicie, użyj wody z płynem do naczyń. Pamiętaj jednak, by gąbka do czyszczenia była tylko zwilżona, nie mokra. W przeciwnym wypadku usuniesz wprawdzie kurz i brud, ale pozostawisz zacieki. Z tego względu lepiej czyścić kanapę delikatną pianą. Wyjątkiem od tej reguły są tkaniny wyprodukowane w technologii AquaClean umożliwiającej czyszczenie czystą wodą. Wiele kanap wykonanych z materiału ma zdejmowane pokrowce. Wtedy utrzymanie czystości staje się dużo prostsze, bo po prostu pierze się je w pralce.

Wieczór przy kominku

Czas spędzony przy kominku może być magiczny pod warunkiem, że przyglądamy się pięknym czystym płomieniom, a nie smugom z sadzy. Kominek powinniśmy czyścić regularnie, ale dopiero po upływie przynajmniej pół doby od wygaszenia paleniska. Popiół wyrzucamy do worka, a następnie do specjalnego kontenera. Aby uniknąć nadmiernego osadu, sprawdźmy drożność przewodów, nie zagaszajmy tlących się resztek wodą i stosujmy dobrze przesuszone drewno. Jeśli kominek ma szybę, szybko i tanio wyczyścisz go... popiołem z paleniska.

Kiedy goście zostają na noc

Salon w wielu domach pełni funkcję pokoju gościnnego. Z tego względu sprawdzają się kanapy rozkładane, z których w razie potrzeby można zrobić dodatkowe posłanie. Podkreślisz swoją gościnność, dodając odrobinę hotelowego luksusu: butelkę wody mineralnej na stoliku, biały ręcznik na łóżku i miętówkę na poduszce.

Jak zorganizować barek

Jeśli prowadzisz intensywne – a przynajmniej umiarkowane – życie towarzyskie, możesz pomyśleć o zaaranżowaniu w salonie podręcznego barku. Taką rolę z powodzeniem spełni zwykły stolik lub oddzielna szafka umieszczona w pobliżu miejsca, gdzie spędzasz czas z przyjaciółmi. Wersja podstawowa to wino białe i czerwone, piwo (popularna marka i coś z oferty lokalnego browaru) oraz kilka napoi bezalkoholowych (tonik, woda, cola, sok). Napoje gazowane i piwo lepiej smakują, jeśli są chłodne (zwłaszcza latem), możemy więc wyjąć je z lodówki tuż przed przybyciem gości. Z kolei wino ze względu na korek lepiej dojrzewa w pozycji prawie horyzontalnej (np. na drewnianych stojakach). Możemy więc albo przechowywać je w ten sposób, albo przenieść do salonu z chłodniejszego miejsca w dniu spotkania (w zależności od rodzaju wina podajemy w temperaturze od kilku do kilkunastu stopni). Butelkom z nakrętką lub korkiem syntetycznym przechowywanie na stojąco nie zaszkodzi. Jeśli organizujesz dużo przyjęć, zaaranżuj barek w wersji rozszerzonej: dodaj dżin, wódkę, koniak, a w następnej kolejności likiery lub miksowane drinki. Przydadzą się też przekąski: orzeszki, krakersy, oliwki, suszone owoce i dobra czekolada.

Poczta kwiatowa

Kwiaty dodają każdemu wnętrzu pałacowego wyglądu. Możesz sama zrobić stroik, na przykład w ładnej kuchennej misie. Zwykle używa się do tego celu specjalnej gąbki florystycznej, ale doraźnie możesz wykorzystać wałki do włosów z gąbką i w nie powkładać łodygi. Układając kwiaty bardziej tradycyjnie, w wazonie, przedłużysz życie bukietu, wsypując do wody trochę cukru. Obetnij końcówki łodyg, co zapobiegnie rozwojowi drobnoustrojów.

Jak poradzić sobie z liliami
Lilie to jedne z piękniejszych kwiatów. Mają jednak jedną wadę – intensywnie pylące wnętrze. Aby zapobiec osiadaniu trudnego do usunięcia pyłku na obrusie, zanim postawisz lilie na stole, usuń z nich słupki i pręciki dłońmi w gumowych rękawiczkach.

Jak dobrać kwiaty do wazonu

Wazony z przejrzystego szkła pasują do każdego bukietu. Kolor kwiatów podkreślają neutralne barwy, takie jak biel, szarość i czerń. Można też dobrać wazon w takim samym kolorze jak kompozycja, jedynie odrobinę ciemniejszy. Pojedyncze kwiaty (np. róże) dobrze wyglądają w wąskich naczyniach, na tyle wysokich, by wystawała z nich łodyga. Małe kwiaty, takie jak bratki, umieszczamy w płaskich miseczkach. Egzotyczne kwiaty dobrze prezentują się w wazonach „industrialnych", na przykład metalowych.

Jak umyć wazon o nietypowym kształcie

Niektórych wazonów, na przykład z wąskim, przekręconym na bok wlotem, nie ma możliwości umyć w środku szczotką. Z pomocą przyjdzie... ryż. Wrzucamy go do wazonu, zalewamy ciepłą wodą, dodajemy odrobinę płynu do naczyń i zakrywając dłonią, energicznie wstrząsamy. Wylewamy i płuczemy czystą wodą. Osad usunięty!

Sztuka spersonalizowana

Efektowną dekoracją salonu są obrazy, zdjęcia i grafiki. Chodzi o to, by nie były one kolejną kopią znanego dzieła sztuki, lecz twoim starannym wyborem. Swój obraz możesz namalować sama, kupując farby, pędzle i blejtramy w specjalistycznym sklepie dla plastyków (stacjonarnym lub internetowym). Jeśli nie czujesz się na siłach, wybierz zdjęcie, które bardzo lubisz – swoje lub swojej rodziny – i w efektownej ramce wyeksponuj je na ścianie. A może pokusisz się o zamówienie profesjonalnej sesji fotograficznej? Dobrym rozwiązaniem jest wyszukiwanie prac początkujących artystów, na przykład studentów uczelni artystycznych. W ten sposób wspierasz młode talenty, zyskując jednocześnie dekorację, której nie znajdziesz w domach znajomych.

Salon - edycja świąteczna

Jak ubrać choinkę? Przede wszystkim tak, by kojarzyła się nam ze świętami. Zanim kupisz naturalne drzewko, sprawdź, czy jest świeże: odłam kawałek gałązki i zobacz, czy się gnie. Jeśli tak, ma dużo soków i długo nam posłuży. Jeśli natomiast gałązka pęknie, szybko zacznie gubić igły. W domu wyciągnij wszystkie ozdoby, wyrzuć potłuczone lub obite bombki, sprawdź, co należy dokupić. Pamiętaj, że bombki najlepiej kupować tuż przed świętami lub zaraz po nich, gdy w sklepach zaczną się wyprzedaże (przed kolejnym Bożym Narodzeniem będą jak znalazł). Ozdoby świąteczne mają swoją symbolikę: gwiazda betlejemska oznacza drogę z dalekich krajów, światełka – nadzieję i obronę przed złymi mocami, rajskie jabłuszka odwołują się do biblijnego jabłka, mają też zapewnić zdrowie, urodę i powodzenie. Jeśli w domu są dzieci, pozwólmy im wnieść twórczy wkład w strojenie choinki – własnoręcznie zrobionymi łańcuchami, kuszącymi cukierkami, lakierowanymi lub opakowanymi w sreberka orzechami. Choince możemy nadać indywidualny, stylizowany charakter:

Choinka na bogato

Wykorzystujemy maksymalną ilość ozdób: bombki, łańcuchy, figurki, słodycze, a nawet konfetti i pióra. Nie ograniczamy liczby kolorów, zwłaszcza tych, które kojarzą się z luksusem, czyli złota i czerwieni.

Choinka rustykalna

Z ozdobami ekologicznymi, naturalnymi. Wśród nich mogą znaleźć się szyszki, kawałki suszonej pomarańczy, pierniki, laski cynamonu.

Choinka jednokolorowa

Z ozdobami w tym samym kolorze. Jej odmianą jest **drzewko alpejskie** o wysokości jednej trzeciej tradycyjnej choinki, na długim pniu. Ubieramy je na zielono w bombki i kokardy.

Choinka w wersji *light*

Z lżejszymi, nieobciążającymi gałązek ozdobami. Ładnie wygląda na przykład w białej wersji z rattanowymi bombkami, ażurowymi dekoracjami, opleciona delikatnym, cieniutkim łańcuszkiem.

Choć wspólne ubieranie choinki wymaga trochę zachodu i pracy, warto zainwestować czas w umacnianie rodzinnych więzi. I wierzyć, że piękne drzewko zapewni nam powodzenie na przyszły rok!

Sypialnia
POSPRZĄTANY AZYL

Sypialnia to miejsce intymne. Z tym chyba każdy się zgodzi. W teorii, bo w praktyce w wielu domach pomieszczenie to przypomina wielofunkcyjne centrum logistyczne. Mieści się w nim zarówno biuro (z komputerem, faksem, telefonem, dokumentami i stosem zapłaconych lub niezapłaconych rachunków), jak i pomieszczenie gospodarcze z nartami czekającymi na zimę lub nieużywanym keyboardem (swego czasu nasze dziecko uczyło się na nim muzyki, może jeszcze kiedyś wróci do grania?). Ja jednak wolę sypialnie pełniące tradycyjne funkcje, będące miejscem wyciszenia, relaksu i odpoczynku. To nastawienie ułatwia porządkowanie – w pokoju zostają tylko te rzeczy, które mają związek ze zdrowym snem, lekturami lub... miłością.

PRZEDE WSZYSTKIM
GARDEROBA

Sypialnia to miejsce, w którym często oprócz łóżka stawia się szafy i komody. Problem polega na tym, że ubrania nie zawsze do nich trafiają... Porozrzucane wszędzie części garderoby to częsty widok w wielu polskich domach. Wydaje się, że w ten sposób mamy je stale pod ręką i szybciej przygotujemy się do wyjścia. Nic bardziej błędnego. Przez 80 procent czasu nosimy zaledwie 20 procent rzeczy, które posiadamy. Po co więc tonąć w stosie swetrów, bluzek i spódnic, których nigdy na siebie nie założysz? Zrób przegląd garderoby – bez sentymentu. Rzeczy, których nie miałaś na sobie od ponad dwóch lat, a które są w dobrym stanie, podaruj organizacji dobroczynnej (np. PCK). Możesz też wymienić je na inne z przyjaciółkami albo podczas mniej lub bardziej formalnych spotkań modowych czy kobiecych. Te bardzo zniszczone – po prostu wyrzuć. A ubrania, które lubisz i nosisz – z drobnymi uszkodzeniami bądź niezupełnie dopasowane (brak guzika, za duży rozmiar) napraw albo oddaj do krawcowej (więcej informacji o porządkowaniu ubrań i organizacji szafy znajdziesz w rozdziale poświęconym garderobie).

Oprócz ubrań spróbuj pozbyć się z sypialni elementów biurowych – laptop może znaleźć swoje miejsce w gabinecie (jeśli masz to szczęście, że go posiadasz), wyznaczonym kąciku do pracy (choćby w postaci biurka) lub pokoju dziennym. Odstaw tam również segregatory na dokumenty, komplet przyborów biurowych i drukarkę.

PORA
DO ŁÓŻKA

Odgruzowanie sypialni musi objąć łóżko – najważniejszy mebel w tym pokoju. Oczyść je z okruszków, pozbieraj monety (skąd się tutaj wzięły?). Nawet jeśli żyjesz samotnie, zainwestuj w mebel duży i wygodny, jeśli tylko pozwalają na to rozmiary pokoju. Przyjęło się, że łóżko jednoosobowe powinno mieć minimum 90 cm szerokości, a dwuosobowe 140 cm. Jeśli dzielisz sypialnię z drugą osobą, pamiętaj, aby każdy z użytkowników miał do niego swobodny dostęp (odległość od ściany powinna wynosić około 70 cm).

Łóżko w roli głównej

Nie ma większego znaczenia, jaki stelaż wybierzesz – drewniany, metalowy, a może z baldachimem? Łóżka drewniane są zdrowsze i bardziej ekologiczne od tych ze sklejki (przy ich produkcji nie używa się tylu substancji chemicznych), mają jednak największą skłonność do skrzypienia, gdy jedna część ociera się o drugą. Ważne jest, aby rama po prostu ci się spodobała, a stelaż dobrze podtrzymywał materac.

W tym momencie pojawia się najważniejsza kwestia – jakości materaca. Przede wszystkim sprawdź, czy przypadkiem nie nadaje się on do wymiany. Po czym to poznać? Po **teście kiepsko przespanej nocy** – jeśli nad ranem budzisz się obolała i niezbyt wypoczęta, to znak, że pora rozejrzeć się za nowym posłaniem. W zależności od jakości i materiału materace zużywają się po siedmiu – ośmiu latach. Odkształcają się, są nierówne i poplamione, przez co najzwyczajniej w świecie nie pełnią już swojej funkcji. Odpowiednie konserwowanie i czyszczenie pomagają zwiększyć żywotność materaca. Co zrobić, aby długo służył tobie i twojej rodzinie?

- Nie siadaj na brzegach materaca, co uchroni go przed deformacją i opadaniem.
- Nie pozwól dzieciom skakać po materacu. Rozkoszny malec brykający po łóżku niech pozostanie widokiem zarezerwowanym dla filmów. Po pierwsze, dziecko może w ten sposób zrobić sobie krzywdę. Po drugie, taka zabawa grozi rozerwaniem szwów materaca bądź uszkodzeniem wypełnienia.

- Postaraj się nie dopuścić do pełnego przemoczenia materaca. Zabrudzenia usuwaj wilgotną (nie mokrą!) szmatką. Zamoczony materac może się skurczyć.
- Odkurzaj materac raz na kwartał, nie używaj do jego czyszczenia środków chemicznych.
- Wyjeżdżając na dłużej (np. na wakacje), zdejmij prześcieradło z materaca, aby się przewietrzył.
- Mniej więcej co cztery miesiące zmieniaj położenie materaca. Najpierw górną część umieść na dole. W kolejnym sezonie odwróć. W następnym ponownie zamień część górną z dolną. Zapewni to równomierne obciążenie materaca i zapobiegnie zniekształceniom.
- Pod stelażem łóżka nie umieszczaj dodatkowych pudełek ani szafek (poza tymi przeznaczonymi przez projektanta na pościel). Nadprogramowe pakunki także mogą powodować zniekształcenia materaca.

W łóżku spędzasz jedną trzecią życia i to od materaca w dużej mierze zależy jakość snu. Warto kierować się zasadą, aby wybierać najlepszy materac, na jaki w danej chwili cię stać. Nie warto śpieszyć się z kupnem – należy w spokoju przetestować wybrane modele. Jeśli śpisz z partnerem, wypróbujcie go wspólnie.

Materace różnią się przede wszystkim rodzajem wypełnienia. Z tego względu można podzielić je na sprężynowe, piankowe, lateksowe, wodne i inne (np. wypełnione trawą morską).

Materace

Materace piankowe

Materace piankowe uchodzą za bardziej higieniczne od sprężynowych, lepiej też znoszą nacisk ciała. Wbrew powszechnym przekonaniom nie są bardziej miękkie od innych posłań – mogą mieć różny stopień twardości. Tego rodzaju materace wybierają zwykle alergicy, ponieważ ze względu na zwartą strukturę osiada na nich mniej roztoczy i alergenów. Materace termoelastyczne reagują nie tylko na nacisk ciała, ale i na jego temperaturę. W zimnych pomieszczeniach mogą wy-

dawać się twarde, lecz pod wpływem ciepła śpiącego dostosowują się do kształtów ciała. Materace termoelastyczne są dobrym rozwiązaniem dla łóżek podwójnych, ponieważ nie odginają się pod wpływem ruchów jednej osoby, zapewniając komfort snu drugiej. Używa się ich także w łóżeczkach dziecięcych ze względu na to, że stanowią dobre podparcie dla delikatnych kości maluchów. Pianka termoelastyczna (zwana niekiedy pianką „z pamięcią") była w przeszłości wykorzystywana do tłumienia wstrząsów przy starcie pojazdów kosmicznych. Jest bardzo wytrzymała, nie deformuje się i zawsze powraca do pierwotnego kształtu.

Materace piankowe zapewniają dobre podparcie dla kręgosłupa, głowy i szyi. Ich plusem jest także to, że ze względu na użyte materiały nie są łatwopalne. Odmiana materaców piankowych, **wysoko elastyczne**, to produkty o zaawansowanej technologii. Oprócz bardzo dobrej amortyzacji ich cechą charakterystyczną jest niezwykle mały ciężar. Dzięki temu nawet osoby w podeszłym wieku mogą je łatwo podnieść czy obrócić.

Materace sprężynowe

To jeden z najczęściej oferowanych i tańszych rodzajów materacy. W materacach zwykłych, **bonelowych**, sprężyny nie są

niczym zabezpieczone. W **kieszonkowych** umieszcza się je w specjalnych pokrowcach (kieszonkach) z bawełny lub tkaniny polipropylenowej. Ten drugi rodzaj jest zdrowszy dla pleców, ponieważ sprężyn w takim posłaniu jest zwykle więcej i mają mniejszą skłonność do odkształcania. Najprostsze materace sprężynowe ze względu na brak właściwości ortopedycznych powinny być używane okazjonalnie (np. do przenocowania gościa przez jedną dobę).

Materace sprężynowe mogą być dodatkowo usztywniane końskim włosiem, matami z włókna kokosowego i pianką poliuretanową. Wybierając ten rodzaj posłania, należy wziąć pod uwagę liczbę sprężyn na metr kwadratowy – im więcej, tym lepiej. To właśnie one powinny zapewniać odpowiednią twardość, a nie wzmocnienie dolne czy górne.

Zaletą materacy sprężynowych jest dostępność, niska cena i stosunkowo długa gwarancja. Zwykle poleca się je osobom o większej wadze, którym zapewniają lepsze podparcie dla kręgosłupa. Wadę może stanowić duża podatność na odkształcenia.

Materace lateksowe

Naturalny lateks pochodzi z soku drzew kauczukowych poddanego skomplikowanej obróbce i wulkanizacji. Istnieje także wersja syntetyczna, dużo tańsza, ale jednocześnie zapewniająca mniejszy komfort. Przy zakupie warto zwrócić uwagę na proporcje kauczuku naturalnego i sztucznego (proporcja 7:3 oznacza już produkt bardzo wysokiej jakości). Lateks składa się z milionów drobnych komórek, z których każda stanowi punkt podparcia dla ciała podczas snu. Daje to wrażenie delikatności i sprężystości oraz niemal idealnego dopasowania do kształtów ludzkiego ciała. Materace lateksowe są bardzo trwałe i najwolniej ze wszystkich ulegają zużyciu. Ze względu na niewielką grubość warto łączyć je z pianką lub umieścić na drewnianym stelażu.

Materace wodne

W Polsce są rzadko używane, mimo iż mają sporo zalet: utrzymują kręgosłup w odpowiedniej pozycji, łagodzą bóle pleców, działają wspomagająco w leczeniu chorób reumatycznych. Przyczyną stosunkowo małej popularności jest trudny montaż (właściwie nie do samodzielnego wykonania) oraz niemożność przestawiania materaca (gdy został już napełniony wodą). Materace wodne umieszczane są w specjalnych wzmocnionych ramach. Nie wymagają wymiany wody, wystarczy co sześć miesięcy uzupełnić specjalny płyn antybakteryjny.

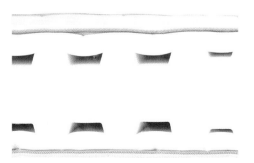

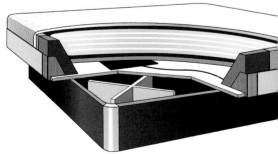

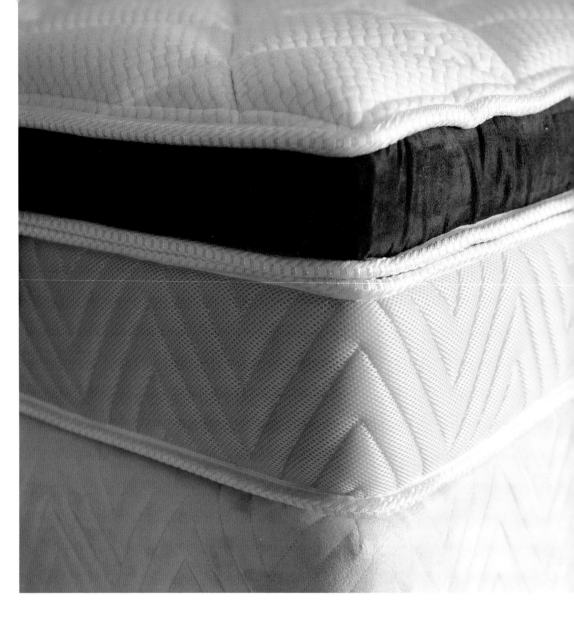

Jak wybrać dobry materac

Kupując materac, zwracaj uwagę nie na modę czy cenę, ale na komfort, jaki zapewnia. Zależy to od wzrostu i wagi, ewentualnych schorzeń kręgosłupa (wtedy zakup warto skonsultować z rehabilitantem), pozycji, jaką najczęściej przyjmujesz podczas snu oraz indywidualnych preferencji. Gdy leżysz na boku, kręgosłup powinien być wyprostowany, na wznak – układać się w naturalne krzywizny. Dobry materac nie może być ani za twardy, ani za miękki. Przekonanie, że duża twardość jest wyznacznikiem jakości, pochodzi z czasów, gdy do wypełniania materaców używano głównie trawy morskiej i włókna kokosowego.

Jak zasłać łóżko

Wymięta pościel nie tylko nie wygląda dobrze, ale i pozbawia połowy przyjemności odpoczynku po pracowitym dniu. Nie chodzi o to, by osiągnąć biegłość pokojówki z luksusowego hotelu – wystarczy kilka gestów, aby łóżko sprawiało miłe wrażenie. Czy posłanie powinno być utrzymane w jednolitej kolorystyce? Niekoniecznie – zachęcam do zabawy barwami i fakturami. Można zastosować jeden kolor w różnych odcieniach bądź użyć kontrastów, na przykład czerni i neonowej zieleni.

- Rozprostuj prześcieradło, a następnie równomiernie rozłóż i wygładź kołdrę.
- Oprzyj poduszki o zagłówek. Pod spodem umieść duże, na wierzchu mniejsze i jaśki. Inną metodą układania poduszek jest ułożenie ich na płasko, jedna na drugiej.
- Na kołdrę połóż narzutę (ale nie nasuwaj jej na poduszki!). Narzuta powinna być takiej szerokości, by zakrywała boki łóżka. Na dolnej części możemy położyć złożony koc, jeśli narzuta nie jest zbyt gruba.

Tak wygląda codzienne słanie zwykłego jedno- lub dwuosobowego łóżka. W wersji „królewskiej" wykorzystuje się więcej elementów poprawiających komfort spania. Ten sposób ścielenia stosowany w tzw. *queen bed* (łóżku większym niż tradycyjne) cieszy się popularnością w Stanach Zjednoczonych.

- Na materac i jego ewentualne zabezpieczenie lub wzmocnienie nałóż prześcieradło z gumką. Musi przylegać dokładnie. Jeśli się marszczy lub nie do końca przykrywa materac, oznacza to, że rozmiar prześcieradła został niewłaściwie dobrany.
- Rozłóż zwykłe prześcieradło. Na dole łóżka włóż jego nadmiar pod materac. Staraj się zrobić to tak dokładnie, jak to tylko możliwe.
- Na prześcieradło nałóż koc lub cienką kołdrę. Nałóż na nią górną część prześcieradła, by stworzyć rodzaj zakładki. Boki wsuń pod materac.
- Całość przykryj ozdobną narzutą. Jeśli jest cienka, jej boki także wsuń pod materac, aby uzyskać gładką powierzchnię.
- Poduszki umieść w specjalnych „dziennych" poszewkach. Ustaw je pionowo, opierając o ramę łóżka. Można też użyć poduszek dekoracyjnych, których nie wykorzystuje się do spania.
- W nogach łóżka umieść złożony ciepły koc.

Dlaczego przy łóżku warto położyć dywanik

Nie tylko dlatego, że rano miło poczuć miękki materiał pod stopami. Dywan zatrzymuje część kurzu ze stóp, dzięki czemu nie wnosimy go do łóżka.

Określenia twardości materaca

H1 – miękkie
    (dla dzieci)
H2 – średnio twarde
    (dla osób o wadze do 80 kg)
H3 – twarde
    (dla osób o wadze powyżej 80 kg)
H4 – bardzo twarde

DEKORACJA

KOŁDRY
i PODUSZKI

To one decydują o „miękkości" i przytulności sypialni. Kilka dekad temu
poszukiwane były przede wszystkim
wypełnienia z naturalnego pierza
i puchu. Dziś wypierają je wkłady syntetyczne ze względu na łatwość czyszczenia (możliwość prania w pralce)
i właściwości antyalergiczne. Kołdry
warto zmieniać w zależności od pory
roku; z całą pewnością przydadzą się
przynajmniej dwa komplety – letni
i zimowy. Na rynku są też kołdry
uniwersalne złożone z dwóch spiętych
ze sobą części, wykonanych z bawełny
i poliestru. Latem można je rozdzielić, a zimą złączyć. Warto zwracać
uwagę na to, aby kołdry były prze-
szyte, wtedy wkład nie będzie się kłę-
bił, zbijał i przemieszczał. A co można
znaleźć w środku?

Co można znaleźć w środku

Puch – drobne piórka z piersi kaczki lub gęsi. Większość puchu pochodzi z Chin, ale znacznie wyższą jakość ma surowiec z Europy. Puch i pióra często kojarzą się z alergiami, choć istnieją też hipotezy wskazujące na to, że za uczulenia odpowiada brud i kurz, który na nich łatwo osiada. Aby temu zapobiec, powleka się pióra specjalną antyalergiczną substancją.

Pióra – to wypełnienie jest mniej kosztowne niż puchowe. Poduszki wypełnione piórami są dość sztywne.

Półpuch – mieszanka pierza i puchu.

Bawełna – naturalny materiał zapewniający dobrą cyrkulację powietrza. Szybko wysycha, nie pozostawia zapachu stęchlizny. Bawełna nie zapewnia jednak kołdrom i poduszkom odpowiedniego kształtu. Jest miękka, tym bardziej, im dłużej była używana.

Wełna – z owiec lub wielbłądów, używana w wypełnieniach o średniej gęstości. Może być stosowana przez cały rok. Zimą zapewnia przyjemne ciepło, latem włókna kurczą się, co obniża właściwości termoizolacyjne tego materiału.

Jedwab – używany w poduszkach. Z takim wypełnieniem nie można ich prać, co najwyżej wietrzyć.

Łuski gryki – popularne w Japonii, ostatnio można je kupić także w Polsce. Poduszki z takim wypełnieniem uchodzą za skuteczny sposób walki z bólami głowy i karku.

Poliester – najpopularniejszy materiał syntetyczny. Spiralne włókna poliestrowe są bardzo sprężyste i mają właściwości antystatyczne. Dodatkowo często pokrywa się je środkami bakteriobójczymi, co ogranicza rozwój grzybów i roztoczy. Udoskonalony poliester ma włókna czterokanalikowe – jeszcze bardziej trwałe i sprężyste.

Silikon – granulat silikonowy to włókna skręcone w małe kłębuszki, przypominające puch. Kołdry z tym wypełnieniem są miękkie i lekkie, nie zatrzymują wilgoci, dobrze chronią przed zimnem. Można je prać nawet w bardzo wysokich temperaturach.

Włókna bioaktywne – wykonane z modyfikowanej celulozy. Takie wypełnienia stosuje się dość rzadko.

Poduszki należy wybierać w zależności od pozycji, jaką przyjmuje się podczas snu. Średnio twarda lub twarda z mieszanym lub jedwabnym wypełnieniem przyda się, gdy śpisz na boku. Jeśli preferujesz sen na plecach, wybierz średnio twardą, a jeśli na brzuchu – miękką z wypełnieniem puchowym (dzięki temu unikniesz bólów szyi). Poduszkę trzeba wymienić na nową, gdy straci swój kształt.

Pierz i wietrz!
Osobom ze skłonnościami do alergii poleca się kołdry i poduszki z wkładami silikonowymi, bawełnianymi lub z owczej wełny. Ważne, aby można je było często prać, najlepiej w domu.

Pościel trzeba wietrzyć. Nie tylko wiosną i latem, ale także podczas mrozów, które są naturalnym sposobem walki z roztoczami. Przeciwwskazaniem jest jedynie deszczowa pogoda i opady śniegu, bo wtedy pościel nasiąknie wilgocią. Codziennie przy słaniu łóżka powinno się przetrzepać poduszki. Aby utrzymać je w czystości i zabezpieczyć przez kurzem, spróbuj też nie rozrzucać ich po podłodze, gdy idziesz spać. Kołdry i poduszki czyści się co 3–6 miesięcy, aby pozbyć się bakterii, pleśni, nieprzyjemnego zapachu (drobne plamy można usunąć płynem do naczyń). Co kilka lat wymień pościel na nową.

Styl w pościeli

Kiedyś pościel dawano w posagu pan-
nom wychodzącym za mąż. Kojarzyła się
ona z zamożnością, statusem społecznym,
powodzeniem małżeństwa i ciepłem domowego ogniska. Dziś, gdy ładną pościel
można kupić w bardzo rozsądnej cenie,
ten element wyposażenia nie pełni już
tak ważnych czy symbolicznych funkcji.
Z całą pewnością może jednak decydować
o charakterze sypialni, ponieważ stanowi
efektowny element dekoracyjny. Prostym
posunięciem, czyli zmianą bielizny poście-
lowej, da się wykreować wnętrze minimalistyczne (pościel biała, w kolorach ziemi,
w geometryczne wzory), w stylu country
(kwiatki lub kratki), wystawne (luksuso-
we tkaniny, złoto, fantazyjne wzory), pro-
wansalskie (motyw lawendy), artystyczne
(oryginalne napisy, cytaty z dzieł sztuki).
I to wszystko bez zmiany mebli... Efekt
przytulności uzyskasz poprzez połączenie
różnych faktur, na przykład zestawiając sa-
tynową kołdrę z puszystym kocem. Dobrze
wygląda też pościel w odrobinę większym
rozmiarze niż rama łóżka.

Oprócz faktury i koloru przy wyborze pościeli ważna jest tkanina, z której
ją wyprodukowano. Najlepiej wyśpimy
się w materiałach naturalnych, takich
jak bawełna, len, satyna (bawełniana lub
jedwabna, nie poliestrowa). Dobrze prze-
puszczają one powietrze i wilgoć, nie uczu-
lają. Uzupełnieniem są koce z naturalnych
włókien. Bawełniane sprawdzają się latem,
wełniane w chłodniejsze dni. Szczególną
delikatnością wyróżnia się wełna jagnię-
ca uzyskiwana z owiec, które mają mniej
niż siedem miesięcy. Wełna z meryno-
sów, czyli owiec tej rasy, jest mocniejsza

i bardziej elastyczna. Wełnę pozyskuje się też z sierści kóz (kaszmir z Indii i Pakistanu, moher z Turcji), lam (alpaka) i królików (angora). Najwyższą jakość ma wełna dziewicza, pochodząca z pierwszego strzyżenia, nieprzetwarzana. Na rynku są także produkty pochodzące z wtórnego przerobu wełny, czyli pozyskiwane z wyprodukowanych już wcześniej wyrobów.

Tkaniny pościelowe

Bawełna – najlepsza jest organiczna, czyli uprawiana bez stosowania sztucznych nawozów i przetwarzana bez silnych chemicznych środków i barwników. Przy organicznej uprawie bawełny wykorzystuje się nieszkodliwe dla środowiska substancje, takie jak kwas cytrynowy, lucernę i naturalny nawóz, a plony zbiera się ręcznie. Organiczna bawełna jest milsza w dotyku, czystsza, neutralnie pachnie. W tym kryje się jej przewaga nad bawełną konwencjonalną, wzmacnianą pestycydami. Dobrą renomę ma bawełna egipska ze względu na dłuższe włókna, dzięki czemu materiał jest zarówno delikatniejszy, jak i bardziej wytrzymały niż inne. Pościel wykonana z bawełny jest łatwa w czyszczeniu (można ją prać w pralce) i dobrze przepuszcza powietrze.

Len – częściej stosowany latem i w krajach śródziemnomorskich, bo zapewnia przyjemny chłód. W Polsce produkowana z niego pościel jest trochę niedoceniana, bo len kojarzy się z materiałem sztywnym i niezbyt miłym w dotyku. Tymczasem surowiec stosowany do produkcji pościeli można zmiękczyć i zabezpieczyć przed nadmiernym gnieceniem. Jako materiał naturalny len bardzo ładnie komponuje się ze stonowanymi kolorami: beżem i szarościami.

Jedwab – wbrew pozorom pościele wykonane z jedwabiu mogą być bardzo trwałe pod warunkiem, że będziemy o nie odpowiednio dbać (prać przy użyciu programu dla tkanin delikatnych oraz korzystając z łagodnego płynu lub mydła, bez wybielania). Jedwab wygląda luksusowo i szykownie, a jednocześnie jest bardzo praktyczny: potrafi wchłonąć sporo wilgoci, nie sprawiając wrażenia mokrego oraz zapewnia ciepło, jednocześnie chroniąc przed przegrzaniem.

Tkaniny syntetyczne – akryl, poliester, rayon. Ich zaletą jest łatwość utrzymania, ponieważ nie gniotą się i nie kurczą. Nie zapewniają jednak takiego komfortu jak materiały naturalne, jeśli wziąć po uwagę przewiewność, wchłanianie wilgoci i ochronę przed zimnem. Z tego względu często stosuje się mieszanki włókien syntetycznych i naturalnych, takie jak polycotton (mieszankę poliestru i bawełny).

Ten sam materiał może mieć różne sploty, co decyduje o jego fakturze, miękkości i przyjemności używania. Jeśli chodzi o bawełnę warto wymienić takie sploty jak:

Satyna – tkanina o splocie atłasowym, wątkowym z jednej strony i osnowowym z drugiej. Satyna jest gładka, błyszcząca, śliska. Zapewnia miłe wrażenia zmysłowe, ale jest bardziej niż inne pościele podatna na zaciągnięcia.

Flanela – miękki, przytulny, nieco puszysty materiał o skośnym splocie i luźno skręconym wątku. Wygląda raczej swojsko niż ekskluzywnie. Jej zaletą są bardzo dobre własności termoizolacyjne.

Kora – materiał o gofrowanej powierzchni. Popularny w latach 70., także dziś ma swoich zwolenników ze względu na łatwość utrzymania. Nie wymaga krochmalenia ani prasowania, by dobrze wyglądać.

Perkal – ścisła, gładka tkanina o wysokim stopniu gęstości. Bardziej zwarta niż zwykła bawełna, mniej niż bawełniana satyna.

Jak zmienić pościel

Niektórym osobom (zwłaszcza mężczyznom) zadanie to wydaje się trudniejsze niż zdobycie Mount Everestu. Ale na zmianę pościeli są przynajmniej dwa proste sposoby:

❶ Poszwa na lewej stronie. Chwyć dwa jej górne rogi i przyłóż je do rogów kołdry. Strząśnij poszwę w dół, jednocześnie odwracając ją na prawą stronę. Chwyć dolne rogi kołdry i włóż je do środka. Wstrząśnij kołdrę i wyrównaj brzegi.

❷ Poszwa na prawej stronie. Trzymając górne rogi kołdry, wprowadź ją do środka i wyrównaj górę. Delikatnie wyjmij ręce, przyłóż dolne rogi do siebie. Wstrząśnij.

Jak złożyć prześcieradło z gumką

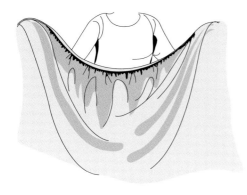

① Dłonie włóż w dwa rogi węższej strony prześcieradła.

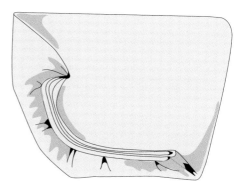

② Załóż jeden róg na drugi, pilnując, by prześcieradło się nie przekręciło. W ten sam sposób dołóż trzeci i czwarty róg.

③ Gdy prześcieradło uzyska kształt prostokąta, umieść je na stole lub blacie i kilkakrotnie złóż.

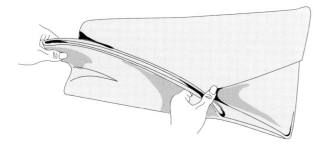

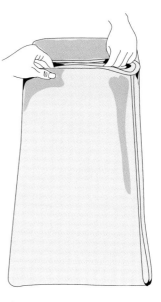

④ Gotowe.

CIEMNOŚĆ NA ŻYCZENIE:
ROLETY, ŻALUZJE, ZASŁONY

Muślinowe zasłonki czy solidne zewnętrzne okiennice zupełnie nieprzepuszczające światła – sama decydujesz, czy podczas zasypiania potrzebny ci delikatny półmrok, czy całkowite ciemności. Rolety i żaluzje są nie tylko praktyczne, stanowią też jeden z ważniejszych (po pościeli) elementów dekoracji sypialni. Jaki masz wybór? I jak sobie poradzić z czyszczeniem materiałów zdobiących okno?

Kotary – jeszcze nie tak dawno ciężkie i grube zasłony były najbardziej popularnym sposobem radzenia sobie z niepożądanym światłem dziennym. Dziś wracają do łask, trzeba jednak pamiętać, że lepiej sprawdzają się w większych pomieszczeniach. Jeśli pokój jest mały, powiększymy go optycznie, wybierając zasłony w tym samym kolorze co ściany. Ciężkie kotary są trudne w czyszczeniu. Niezależnie od tego, czy pierzemy je w domu czy chemicznie, wymagają zdjęcia, a następnie ponownego upięcia. Jeśli pierzesz zasłony w domu, wieszaj je lekko wilgotne, wtedy wyprasują się w sposób naturalny. Kurz i roztocza możesz usuwać codziennie, korzystając z odkurzacza. Podłącz do niego specjalną końcówkę.

Żaluzje – do ich czyszczenia warto wykorzystać szczoteczkę złożoną z kilku futrzanych wałeczków. Dzięki niej można czyścić jednocześnie parę pasm. Po usunięciu kurzu żaluzje z tworzyw sztucznych myje się wodą z dodatkiem płynu do naczyń. Można je także po prostu opłukać w wannie, ale ze względu na skomplikowany demontaż jest to rozwiązanie mało praktyczne. Żaluzje aluminiowe po odkurzeniu wypoleruj flanelową szmatką. Nie wolno ich czyścić na mokro, bo aluminium pod wpływem wody matowieje. Podobnie postępuje się w przypadku żaluzji drewnianych, używając do ich czyszczenia suchej szmatki i preparatu do nabłyszczania drewnianych mebli.

Rolety i żaluzje poziome – jeśli są wykonane z tkaniny, nie upierzesz ich w domu, ponieważ materiał pokryty jest apreturą zabezpieczającą przed nadmiernym osiadaniem kurzu, płowieniem i wilgocią. Rolety można czyścić wilgotną szmatką.

Rolety rzymskie – zwijane. Stosunkowo łatwo je zdemontować. Można je uprać ręcznie lub w pralce, korzystając z programu do tkanin delikatnych, bez wirowania. Po praniu należy suszyć je rozłożone.

Rolety typu dzień-noc – pasy materiału pozwalające na pełne zasłonięcie okien w nocy i sterowanie natężeniem oświetlenia w dzień. Nie można ich prać ani chemicznie, ani w domu, dlatego czyści się je odkurzaczem lub przeciera wilgotną szmatką.

Maty bambusowe – po odkurzeniu mogą być czyszczone na mokro.

Pamiętaj!
Sypialnia to miejsce, w którym ty i twoja rodzina w domu spędzacie najwięcej czasu. Czystość, która w niej panuje, to podstawa higieny snu. Z tego względu pierz zasłony i czyść rolety, gdy tylko zauważysz kurz, nie czekając na święta ani „specjalne okazje".

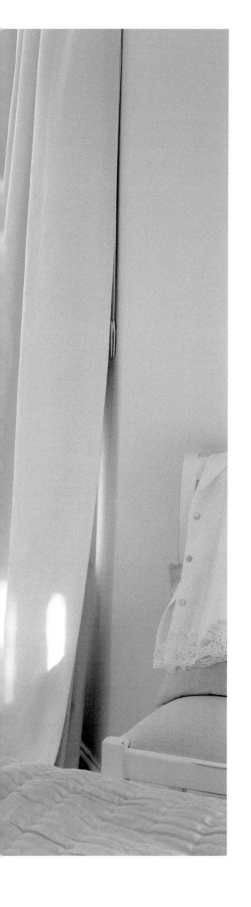

MIEJSCE
DLA CIEBIE

To toaletka. Dziś trochę lekceważona, ja jednak lubię kojarzyć ją z rytuałem rozpoczynania i kończenia dnia. Zostaw na niej tylko biżuterię oraz perfumy lub kosmetyki, których używasz codziennie. Warto pamiętać, że zapachy najdłużej zachowują trwałość, gdy przechowuje się je w temperaturze pokojowej, w suchym pomieszczeniu (nie w łazience!). Kosmetyki, których używasz rzadziej, zamknij w szafkach, by opakowania nie pokrywały się kurzem. Biżuterię warto przechowywać w specjalnych pudełkach i szkatułkach (nie powinny być metalowe), ale równie dobrze możesz zdecydować się na bardziej fantazyjne rozwiązania, na przykład wieszając bransoletki i wisiorki na wieloramiennym świeczniku.

Jak czyścić biżuterię

Nawet najpiękniejsze ozdoby z czasem tracą blask: szarzeją, odbarwiają się, matowieją. W prosty sposób przedłużysz ich żywotność, nie wystawiając ich zbyt często na działanie promieni słonecznych, szkodliwych substancji i wilgoci. W zakładach jubilerskich da się czasami kupić specjalne preparaty do czyszczenia biżuterii i ściereczki do polerowania. Ale istnieją też domowe sposoby pielęgnacji biżuterii.

Złoto – do jego czyszczenia nadaje się… sok z cebuli. Złotą biżuterię smarujemy sokiem, a po paru godzinach polerujemy, by odzyskała blask. Łańcuszki można umyć w wodzie z mydłem, a następnie w wodzie ze spirytusem.

Srebro – gdy nieco sczernieje, warto oczyścić je solą. W tym celu mieszamy sól w gorącej wodzie, aż powstanie roztwór nasycony (soli będzie tyle, że przestanie się rozpuszczać). Gdy płyn przestygnie, na dnie naczynia umieszczamy folię aluminiową, a na niej biżuterię. Zjawisko elektrolizy sprawi, że osad pozostanie na folii. Do czyszczenia srebra można też użyć popiołu z papierosów zmieszanego z wodą lub pasty do zębów.

Perły – to jedne z najdelikatniejszych kamieni szlachetnych. Nic dziwnego, bo koncholina, czyli rogowata substancja białkowa, z której składa się perła, jest materiałem organicznym. Jako taki po prostu się starzeje, jest podatny na rozkład, kruszeje i pęcznieje pod wpływem wilgoci. Perły mają swój cykl życia. Z czasem matowieją, pokrywają się rysami, zaczynają się łuszczyć, aż wreszcie pękają. Można przedłużyć ich piękno, unikając kontaktu ze szkodliwymi substancjami (np. lakierem do włosów, perfumami) oraz używając specjalistycznych preparatów. Domowym sposobem na pielęgnację pereł jest płukanie ich w mleku.

Bursztyn – odzyska blask po przetarciu ściereczką nasączoną oliwą z oliwek. Zabrudzenia najlepiej usunąć na sucho miękką szczoteczką.

Kamienie szlachetne – turkusy i korale można myć w wodzie z sodą oczyszczoną lub płatkami mydlanymi, a następnie wysuszyć i wypolerować kawałkiem flaneli.

Sztuczna biżuteria – przy jej czyszczeniu należy unikać zbyt silnie działających środków, ponieważ mogą one zniszczyć zewnętrzną warstwę. Najlepiej umyć ją w wodzie z mydłem lub przetrzeć szmatką nasączoną sokiem z cytryny. Sztuczną biżuterię warto przechowywać owiniętą w bibułkę, bez kontaktu z powietrzem.

Kwiaty w sypialni – czy to się sprawdza?

Popularna opinia, głoszona także przez Antheę Turner, mówi, że w sypialni nie należy trzymać kwiatów, bo zabierają tlen. Rzeczywiście, w nocy rośliny nie oddają tlenu w procesie fotosyntezy, ale jego ilość pobierana z atmosfery jest na tyle znikoma, że z całą pewnością nie zagraża naszemu zdrowiu i życiu... Niektóre kwiaty, przede wszystkim doniczkowe, wywierają natomiast korzystny wpływ na nasze samopoczucie. Paproć, szeflera, begonia zwiększają wilgotność powietrza. Niektóre rodzaje fikusów i geranium oczyszczają powietrze ze szkodliwych substancji. Jaśmin i drzewko pomarańczowe mają działanie aromaterapeutyczne.

Warto jednak unikać kwiatów o duszących, intensywnych zapachach. Bukiet lilii bez wątpienia pięknie się prezentuje, ale skutecznie uniemożliwi nam nocny wypoczynek.

Więcej światła

Sypialnia to miejsce, w którym nie jest konieczne montowanie górnego oświetlenia. Tu dobrze sprawdzają się lampki punktowe umieszczone w strategicznych miejscach – do sprzątania i ścielenia łóżka, do oświetlenia szafy, do czytania, do podkreślenia ładnego fragmentu pokoju lub stworzenia atmosfery. Warto pamiętać, że efekt przytłumionego światła osiąga się poprzez dobranie odpowiedniego klosza i żarówki (o łagodnej barwie), a nie narzucanie chustki na abażur (to może mieć przykre konsekwencje).

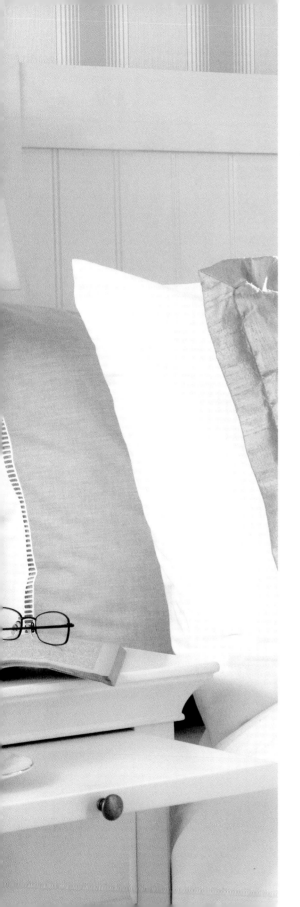

Na dobranoc: nocny stolik

Ta intymna przestrzeń stanowi naturalne uzupełnienie łóżka. Ostatnio modne
jest wykorzystanie stolika nocnego jako
kontrapunktu w pomieszczeniu. Czyli
w stonowanej sypialni ustawia się mebel w ostrym jaskrawoczerwonym kolorze,
a w minimalistycznej – ozdobny, na ba-
rokowo wygiętych nóżkach. Stolik nocny
to przestrzeń, którą tuż przed zaśnięciem
mamy pod ręką. Nie powinien być więc
zbyt duży – wystarczy, że zmieści się
na nim budzik, lampka i książka (na moim
to klasyka, np. *Anna Karenina* Lwa Tołstoja,
którą mogę czytać wiele razy). Jeśli masz
więcej ulubionych rzeczy, zdecyduj się
na stolik z półkami lub szufladami, gdzie
będziesz mogła trzymać choćby ulubione
czasopisma. Rozwiązaniem proponowa-
nym przez Marthę Stewart jest zestaw
stolików umieszczonych jeden pod drugim. W razie potrzeby można porozkładać
na nich dodatkowe rzeczy. Ja jednak wolę
minimalizm, dlatego na moim stoliku
są tylko chusteczki higieniczne, karafka
z wodą i lektura. Pięknie wykonana szklana karafka może być ważnym elementem dekoracyjnym, w przeciwieństwie
do plastikowej butelki. No i przyczynia się
do ochrony środowiska. Dobranoc!

Garderoba

ŁAD NA WYCIĄGNIĘCIE RĘKI

Codziennie wstaję do pracy o piątej – szóstej nad ranem. To niełatwe. Ale gdy zaspana sięgam ręką do szafy i pewnym ruchem, bez nerwowego przeglądania, po prostu wyciągam czystą wyprasowaną bluzkę – czuję, że dzień ułoży się, jak sobie zaplanowałam. Czy także znasz to uczucie? Jeśli nie, może pora to zmienić? Zwłaszcza że uporządkowana szafa to nie wyraz pedantycznych obsesji, ale ważny krok na drodze do ułatwienia sobie życia. Komoda, szafa w przedpokoju, oddzielny pokój na ubrania – nieważne, jaką przestrzenią dysponujesz. Porządek zaczyna się w głowie.

Przede wszystkim
ELIMINACJA

Problem ze stosami ubrań, które piętrzą się w szafach, nie zawsze wynika z ciasnoty i niedostatecznej ilości miejsca. W większości wypadków po prostu nie chcemy i nie umiemy pozbyć się rzeczy, których nie potrzebujemy i nie używamy. Bałagan generuje jeszcze większy nieporządek: gdy nie potrafimy czegoś łatwo znaleźć, wyrzucamy wszystko z szafy, a następnie wkładamy z powrotem jeszcze bardziej skłębioną stertę ubrań.

Jak to zrobić

Uczestniczki programu *Perfekcyjna pani domu* (tak jak wcześniej ja sama) odkrywają, że wystarczy kilka godzin i odrobina determinacji, by zrobić porządek w każdej, nawet z pozoru najbardziej niereformowalnej przestrzeni.

Jak się za to zabrać

Przygotuj pudła lub worki. Wyrzuć całą zawartość szafy na środek pokoju. Przeglądając wszystko sztuka po sztuce, decyduj, na jaki stos odłożyć daną rzecz: „wyrzucam", „zostawiam" czy „zastanowię się". Na pierwszą stertę powinny trafić rzeczy zniszczone (nie do naprawienia) i takie, których nie nosisz od bardzo dawna. Do kategorii „zostawiam" zaliczają się ubrania i dodatki w dobrym stanie, co do których nie mamy wątpliwości, że są nam potrzebne. Najwięcej kłopotów nastręcza oczywiście grupa „zastanowię się". Zwykle mamy sporo ubrań, których nie używamy, lecz mamy wrażenie, że kiedyś się przydadzą. Może wreszcie schudnę? Albo za dwa lata to będzie znowu modne? Jeśli „to" oznacza spódnicę vintage prestiżowej i znanej marki – niewykluczone, że tak się stanie. Jeśli jednak masz na myśli o kilka rozmiarów za małą sukienkę, z którą prawie się nie rozstawałaś na pierwszym roku studiów, szanse na to są nikłe. W przypadku wątpliwości, czy dana rzecz jest warta, by przechowywać ją w szafie, poproś o radę przyjaciółki. Jest taka scena w serialu *Seks w wielkim mieście*, kiedy koleżanki doradzają głównej bohaterce, co ma zabrać ze sobą przy przeprowadzce do nowego mieszkania. Muszę przyznać, że ich wybory okazują się bezbłędne: spojrzenie

z zewnątrz pozwala często bezlitośnie oddzielić rzeczy bez szans na modowy recykling od perełek wymagających jedynie nieznacznego odświeżenia.

Załóż, że grupa ubrań do ponownej oceny nie będzie zbyt duża. Inaczej nie zrobisz kroku w stronę radykalnych porządków. Ubrania z tej kategorii możesz umieścić w odrębnym pudle. Jeśli użyjesz jakiejś rzeczy, nie wkładaj jej ponownie do pojemnika. Po pół roku zajrzyj do środka i zobacz, co zostało. Ubrania, po które nie sięgnęłaś przez sześć miesięcy, naprawdę nie są ci już potrzebne. Wyrzuć je bez wyrzutów sumienia.

I pamiętaj, że zawsze, nawet po najbardziej bezlitosnych porządkach, znajdziesz jakąś zbędną rzecz, której można się pozbyć.

Zasada „3 P"

Moja ulubiona metoda pozbywania się niepotrzebnych rzeczy nazywa się „3 P" – PIĘKNE, PAMIĄTKOWE, POŻYTECZNE. Sprawdź, czy ubranie lub przedmiot, które trzymasz w ręku, należy do jednej z tych kategorii. Zachowaj zdrowy rozsądek. Para bucików pochodząca z czasów, gdy twoje dziecko było niemowlakiem, jest miłą pamiątką. Ale pełen komplet śpioszków czy stos sweterków staje się zaczątkiem bałaganu. Lepiej oddać je zaprzyjaźnionej rodzinie, w której właśnie urodziło się dziecko.

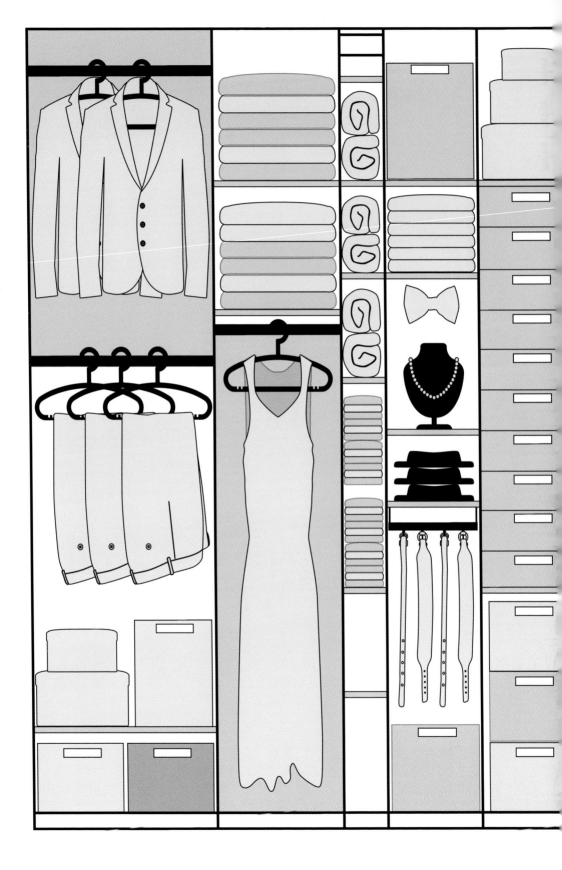

JAK UŁOŻYĆ
UBRANIA W SZAFIE

Najlepszy sposób to taki, który pozwala szybko znaleźć to, czego potrzebujesz. Martha Stewart zwykła mówić, że nie istnieje jedna metoda porządkowania – każdy musi znaleźć własną. Ubrania można uporządkować według rodzaju (spodnie ze spodniami, spódniczki ze spódniczkami), kolorów, tkanin (jedwabie oddzielamy od wełny, a len od aksamitu) bądź zestawów, z których korzystamy na co dzień. Bardzo praktyczna, jeśli chodzi o organizację szafy, jest segregacja według długości. Pod krótszymi rzeczami da się zamontować dodatkową półkę lub ułożyć kartony z butami. Przechowuje się w nich te pary, które wkładamy rzadziej (wiele osób buty noszone na co dzień trzyma po prostu w szafce w przedpokoju).

A inne zasady?

- Nie korzystaj z metalowych jednorazowych wieszaków z pralni, ponieważ tak przechowywane ubrania deformują się. Lepiej zainwestować w porządny zestaw, który będzie służył wiele lat. Do spódnic kup wieszaki z klamerkami, do spodni z gąbką antypoślizgową. Delikatne ubrania z szyfonu lub jedwabiu najlepiej wieszać na ramiączkach obitych materiałem. Natomiast drewniane wieszaki sprawdzą się w przypadki koszul, ubrań z lnu i bawełny. W szafie trzymaj wyłącznie czyste rzeczy, gotowe do włożenia. Po odebraniu ubrań z pralni usuń foliowe opakowanie, dzięki czemu zapach chemikaliów szybciej wywietrzeje. Pamiętaj, że tkaniny zbyt długo przechowywane w folii mogą płowieć. Nie upychaj ubrań zbyt gęsto, pozwól im oddychać.
- Są ubrania, które lepiej złożyć, niż powiesić na wieszaku. Należą do nich swetry (wełna ma skłonność do wyciągania się), T-shirty, długie wieczorowe suknie z lejących materiałów (bez fiszbinowych wzmocnień). Delikatne, cienkie bluzeczki można położyć na półkę, oddzielając bibułkami. Koszulowe bluzki zapnij – mniej będą się gnieść. Spodnie powieś wzdłuż kantów.

- Na najwyższej półce trzymaj rzeczy niewykorzystywane podczas aktualnej pory roku (czyli latem – zimowe) oraz pościel, koce itp. W zasięgu wzroku niech znajdzie się odzież, z której najczęściej korzystasz. Najniższy poziom to miejsce dla butów umieszczonych w poopisywanych pudełkach.
- Na górnych półkach możesz także trzymać torebki. Niektóre, zwłaszcza te droższe, sprzedawane są ze specjalnymi miękkimi woreczkami, chroniącymi przed zakurzeniem i zniszczeniem.

A co z akcesoriami?

Krawatami, apaszkami, paskami? W sklepach z wyposażeniem wnętrz można kupić wieszaki wielofunkcyjne służące do przechowywania drobniejszych sztuk odzieży. Są nie tylko praktyczne, ale i ładne – zazwyczaj wyróżniają się intrygującym designem.

W wielu krajach, również w Polsce, można wynająć specjalistę, który pomoże robić porządki w szafie. Swoją pracę zaczyna on od niezliczonej ilości pytań: „Jak spędzasz czas?", „Ile godzin pracujesz?" „Jaki *dress code* obowiązuje w twojej firmie?", „Czy uprawiasz sport?" itp. W Polsce szukamy sposobu na porządek raczej na własną rękę, metodą prób i błędów. Kiedy otwieramy garderobę, widzimy styl życia, jaki prowadzimy. Jeśli większość czasu spędzamy w pracy, trzy czwarte szafy niech zajmują zestawy idealne do biura, nie balowe suknie.

Jak złożyć koszulę

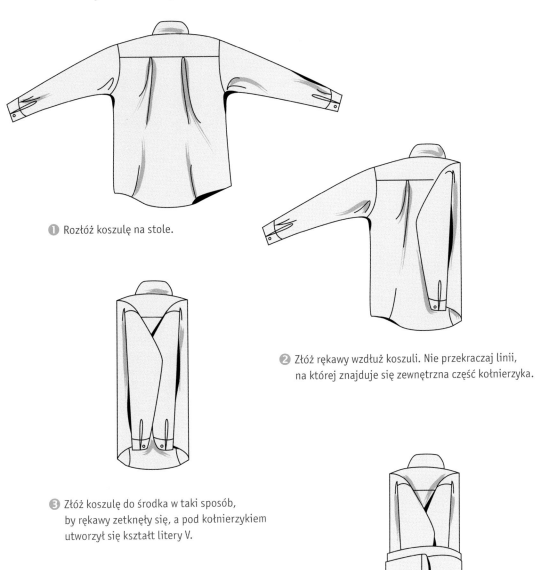

① Rozłóż koszulę na stole.

② Złóż rękawy wzdłuż koszuli. Nie przekraczaj linii, na której znajduje się zewnętrzna część kołnierzyka.

③ Złóż koszulę do środka w taki sposób, by rękawy zetknęły się, a pod kołnierzykiem utworzył się kształt litery V.

④ Dolną część koszuli złóż na dwie lub trzy części, w zależności od miejsca, jakim dysponujesz.

⑤ Gotowe.

Pomysł na bieliznę

Sposobów na jej przechowywanie jest całkiem sporo. Począwszy od babcinych, czyli miejsca w komodzie wyściełanego pergaminem, przez bardzo pożyteczne segregatory wykonane z usztywnionej tkaniny, po fabryczne ramiączka do kompletów majtek i staników. W segregatorach możemy bieliznę podzielić zgodnie z rodzajem (majtki, staniki, rajstopy, skarpetki) bądź przeznaczeniem (bielizna korygująca, codzienna, luksusowa).

Aby zapobiec nierównomiernemu rozciąganiu skarpetek, lepiej składać je na pół, niż zwijać jedna w drugą. Nieskomplikowanym i niedrogim sposobem przechowywania są zwyczajne foliowe torebki z zamknięciem (strunowe). Można w nich schować zestawy bielizny, a przezroczysty plastik pozwala na szybkie odszukanie właściwego. Dużo uroku mają bawełniane woreczki o nieco rustykalnym charakterze. Sprawdzają się one jednak nie tyle w szafie, co podczas podróży, umożliwiając schludne zapakowanie bielizny do walizki. Jeśli bieliznę przechowujesz w uniwersalnej szafie wnękowej, umieść ją koło bluzek i swetrów, a nie w pobliżu butów czy płaszczy. Piękna bielizna pięknie pachnie. Saszetki zapachowe możesz kupić, ale warto zrobić je samodzielnie. W bawełnianych zaszywanych woreczkach lawenda zapewnia świeżość, a skórka z pomarańczy z dodatkiem goździków – orientalny aromat.

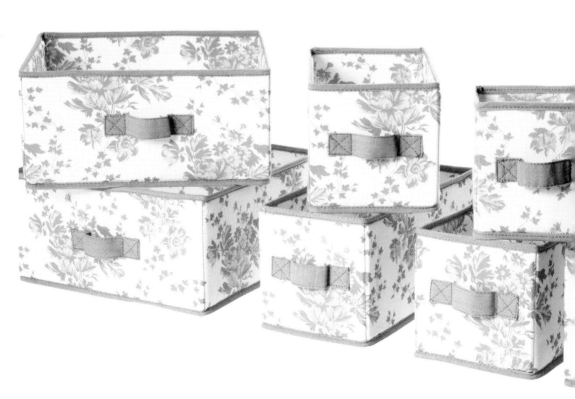

Buty

Jak przechowywać i czyścić buty

Buty powinno się przechowywać w pudełkach. Jeśli nie masz specjalnych, z okienkiem, wykorzystaj kartony, w których je kupiłaś. Oznacz je zdjęciem lub opisem na karteczce samoprzylepnej, dzięki czemu od razu znajdziesz właściwą parę. Do pudełek wkładaj buty suche i oczyszczone. Pamiętaj, że muszą wyschnąć w sposób naturalny (nie na kaloryferze), inaczej skóra twardnieje i pęka.

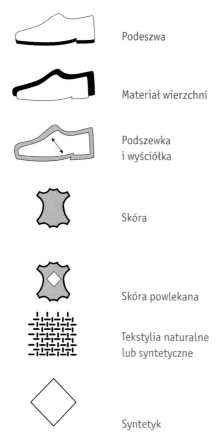

Podeszwa

Materiał wierzchni

Podszewka i wyściółka

Skóra

Skóra powlekana

Tekstylia naturalne lub syntetyczne

Syntetyk

Buty ze skóry – należy pastować pastą bezbarwną lub w kolorze obuwia. W kryzysowej sytuacji można użyć wosku do podłóg, a w celu oczyszczenia – nawet wewnętrznej części skórki od banana. Po wypastowaniu wypoleruj buty flanelową ściereczką.

Buty ze skóry lakierowanej – odzyskają blask, gdy przetrzesz je oliwką dla dzieci.

Buty z zamszu – zabrudzenia usuń ostrzejszą stroną szczoteczki do zamszu, a następnie ułóż włoski drugą stroną, gumową. Zamsz można też odświeżyć parą (np. z gotującej się wody w czajniku).

Buty z nubuku – można czyścić specjalną gąbką lub szczoteczką do nubuku.

Buty ze skóry ekologicznej – takie obuwie płowieje szybciej od wykonanego ze skóry naturalnej. Aby przedłużyć jego żywotność, stosuj specjalistyczne preparaty do tego rodzaju tworzywa.

Kalosze – wystarczy umyć je w wodzie z mydłem, a następnie przetrzeć szmatką zamoczoną w glicerynie.

Tenisówki – po wyjęciu sznurówek delikatnie umyj je ściereczką w ciepłej wodzie z proszkiem. Szmatkę należy często płukać, aby nie rozmazać brudu. Po usunięciu nadmiaru wody spróbuj wywabić plamy pastą do zębów, pocierając je szczoteczką. Na zakończenie przetrzyj buty wilgotną szmatką i włóż wypłukane sznurówki. Całość odstaw do wyschnięcia.

Buty sportowe – regularnie pierz wkładkę. Zabrudzenia zewnętrzne czyść szczoteczką, niewielką ilością wody i mydłem.

Jak usunąć nieprzyjemny zapach z butów

Jest na to domowy sposób. Skarpetkę, która nie ma pary, wypełnij listkami herbaty (np. zielonej), dodaj kilka kropel olejku eterycznego. Uzupełnij o ulubione zapachy z kuchni, takie jak anyż czy goździki. Tak przygotowaną mieszankę spożywczą włóż na noc do butów. Powinno pomóc, bo herbata doskonale pochłania niepożądane zapachy.

Mole

Jak zabezpieczyć odzież przed molami

- Regularnie odkurzaj szafę. Jeśli to szafa wnękowa, wyczyść podłogę.
- Oddaj do pralni wszystkie wełniane ubrania: muszą być absolutnie czyste, zanim przechowasz je do następnego sezonu. Wełniane płaszcze możesz dodatkowo dokładnie wyszczotkować, bo właśnie tu mogą znajdować się jaja, z których wylęgają się larwy. To one odpowiadają za zniszczenia tkanin (dorosłe mole nie jedzą wełny).
- O to, jak prawidłowo zabezpieczyć futra, zapytaj kuśnierza.
- W miarę możliwości wietrz ubrania.
- Upewnij się, że drzwi szafy są szczelne.
- Do środka włóż specjalistyczne preparaty do walki z molami, kulki z drzewa cedrowego lub lawendę. Intensywne zapachy działają odstraszająco.

ZANIM WYPIERZESZ – PRZECZYTAJ

Każdemu zdarzają się pralnicze wpadki – zafarbowana koszulka albo delikatna bluzka z zaciągniętą przez bęben nitką, nienadająca się już do noszenia. Ale skurczony sweterek (wcześniej rozmiar 40), który wyciągasz z pralki, niekoniecznie musiał być złej jakości. Może nie doczytałaś, jak należy go wyprać? Sama kupuję niewiele ubrań, dbam jednak o to, by służyły mi jak najdłużej. Byłoby sporym marnotrawstwem, gdybym musiała wyrzucać je na skutek niewłaściwego czyszczenia lub prania. W większości ubrań zostawiam metki. Tam, gdzie trzeba je odciąć (np. przy przcjrzystych tkaninach), robię opis w specjalnym zeszycie.

WSKAZÓWKI
DOTYCZĄCE
PRANIA

Przed praniem ubrania trzeba **posortować**, ponieważ tkaniny białe, kolorowe i ciemne pierze się osobno. W miarę możliwości warto pogrupować kolorowe ubrania według barw (niebieskie z niebieskimi, czerwone z czerwonymi itp.). Jeśli ubrań jest mało, wystarczy podział na kolory intensywne i pastelowe. Rzeczy bardzo zabrudzonych (dziecięce ubranka, kombinezon używany do prac w ogrodzie) nie pierze się razem z tymi, które noszą ślady zwykłego użycia. Segregacji dokonuje się też, biorąc pod uwagę rodzaj tkaniny. Bawełnę warto oddzielić od sztucznych włókien, a materiały grube, pochłaniające dużą ilość wody (np. koce) od cienkich i delikatnych. Osobno do pralki wkłada się dżinsy.

Pranie

Pranie ręczne

Pranie normalne, maksymalna temperatura: 30°C

Pranie normalne, maksymalna temperatura: 40°C

Pranie normalne, maksymalna temperatura: 60°C

Pranie normalne, maksymalna temperatura: 95°C

Nie prać

Lista symboli ze wskazówkami dotyczącymi prania

 Suszenie

 Czyszczenie chemiczne

 Prasowanie

 Suszyć rozwieszone

 Czyścić tylko w benzynie

 Maksymalna temperatura prasowania: 110°C (akryl, nylon)

 Suszyć w suszarce bębnowej

 Dozwolone czyszczenie we wszystkich rozpuszczalnikach organicznych

 Maksymalna temperatura prasowania: 150°C (poliester, wełna)

 Suszyć w pozycji poziomej

 Czyszczenie w czterochloro-etylenie lub benzynie

 Maksymalna temperatura prasowania: 200°C (bawełna, len)

 Suszyć w suszarce bębnowej przy zredukowanych obrotach

 Czyścić w wodzie bez dodatków substancji chemicznych

 Nie prasować

 Suszyć w pozycji pionowej

 Nie suszyć chemicznie

 Suszyć bębnowo przy normalnych obrotach

 Nie czyścić chemicznie

 Nie suszyć w suszarce bębnowej

 Chlorowanie

 Nie chlorować

 Nie chlorować, nie wybielać

Pachnące pranie

Płyn do płukania tkanin nie tylko nadaje
praniu ładny, świeży zapach, ale sprawia
także, że jest ono bardziej miękkie. Jest
to szczególnie ważne w domach, gdzie
z kranów płynie twarda woda, czyli o wysokim stężeniu wapnia, magnezu i żelaza.
Niszczy ona tkaniny, pozostawiając trwałe
plamy, a rozpuszczony w niej proszek gorzej się pieni. Choć większość proszków
zawiera substancje zmiękczające wodę,
warto dodatkowo użyć płynu. Wyjątek stanowią tzw. tkaniny funkcyjne, oddychają-
ce (polar, materiały używane do produkcji
sportowej bielizny i ubrań). Płyn zatyka
mikropory i powoduje utratę cennych właściwości. Do prania takiej odzieży najlepiej
stosować specjalistyczne środki, zalecane
przez producenta.

Przed praniem koniecznie sprawdź, czy
w kieszeniach nie zostały monety, jednorazowe chusteczki, paragony itp. Resztki papieru na ubraniu nie wyglądają estetycznie,
a ligninowe strzępki dodatkowo trudno
usunąć. Zapnij koszule i kurtki. Ubrania
wywróć na lewą stronę. Koce i zasłony
przed włożeniem do pralki wytrzep z kurzu. Nie wkładaj do bębna za dużo ubrań
naraz, ponieważ środek piorący nie dotrze
w głąb tkanin.

Żeby pranie dłużej pachniało...

Do pojemnika na płyn do płukania wlej
kilka kropel esencji zapachowej. Upewnij
się wcześniej, że nie jest tłusta. Esencje
mają bardziej intensywny zapach niż
klasyczne środki piorące, dzięki czemu
odzież dłużej zachowa świeżość.

Zbyt małe obciążenie może z kolei spowodować, że podczas wirowania pralka zacznie... wędrować po pomieszczeniu. Zwróć uwagę na program. Zwykle korzysta się z jednej lub dwóch opcji (pranie codzienne), tymczasem producenci oferują nam naprawdę dużo możliwości czyszczenia zarówno delikatnych, jak i mocno zabrudzonych tkanin. Do dyspozycji mamy więc programy zwykłe (czterdziestominutowe lub godzinne), do rzeczy bardzo brudnych (z praniem wstępnym i w wysokiej temperaturze) i tkanin delikatnych (temperatura do 40°C, wolniejsze obroty bębna), a także możliwość regulacji temperatury i prędkości wirowania.

Czego nie prać w pralce

- Farbujących ubrań o intensywnych barwach.
- Biustonoszy z fiszbinami, ponieważ łatwo tracą kształt.
- Rajstop i pończoch, o ile nie umieścimy ich w specjalnych workach do prania. W przeciwnym razie bardzo łatwo będą zahaczać o inne części garderoby.
- Koronek i innych delikatnych materiałów, które mogą rozerwać się pod wpływem wirowania.
- Ubrań, których nie można prać w wodzie, na przykład z niektórych rodzajów wełny lub jedwabiu.

Pranie ręczne

Większość ubrań można wyprać w pralce lub wyczyścić chemicznie. Wyboru warto dokonać już w sklepie, zwracając uwagę na metkę z przepisem. Sama zwykle wybieram ubrania, które łatwo wyczyścić bez poświęcania na to zbyt dużej ilości czasu. Jeśli jednak samodzielne pranie staje się koniecznością, warto pamiętać o kilku zasadach:

- Pranie ręczne przeznaczone jest dla tkanin, których nie można trzeć, nie wykonuj więc zbyt energicznych ruchów.
- Używaj środków, które nie wytwarzają dużej ilości piany, najlepiej płynnych. Lepiej rozpuszczają się w wodzie i łatwiej je wypłukać. Najpierw rozpuść środek w dużej ilości wody, potem do roztworu włóż pranie. Nigdy nie syp proszku bezpośrednio na tkaninę.
- Przy wywabianiu niektórych plam dobrze sprawdza się szare mydło.
- Woda do prania ręcznego powinna być ciepła, ale nie gorąca. Zbyt wysoka temperatura może uszkodzić delikatne włókna i utrwalić plamy.
- Ręcznie należy prać przede wszystkim ubrania jedwabne i wełniane. Zwykło

się sądzić, że jedwab wolno czyścić tylko chemicznie. Jeśli jednak materiał jest wysokiej jakości, można go bezpiecznie uprać na mokro. Jak ocenić jakość jedwabiu? Ściśnij część ubrania w dłoniach. Jeśli materiał szybko się wygładza, sprawia wrażenie mięsistego, elastycznego – możesz wyprać ubranie. Jeśli na tkaninie pozostaną zagniecenia i zmarszczki, lepiej oddaj ją do pralni. Jedwab pierz w letniej wodzie, nie cieplejszej niż temperatura ludzkiego ciała. Proszek nie pozostawi zacieków, jeśli przy pierwszym płukaniu użyjesz roztworu wody z octem. Potem przepłucz ubranie ponownie w dużej ilości wody.

Wełna to bardzo trwały materiał, który może służyć przez wiele lat. Niestety, jej włókna na skutek nieodpowiedniego czyszczenia często się kurczą i jest to proces nieodwracalny. Swetra sfilcowanego pod wpływem zbyt wysokiej temperatury nie da się już rozciągnąć do pierwotnego rozmiaru. Delikatniejszy rodzaj wełny bezpieczniej prać ręcznie.

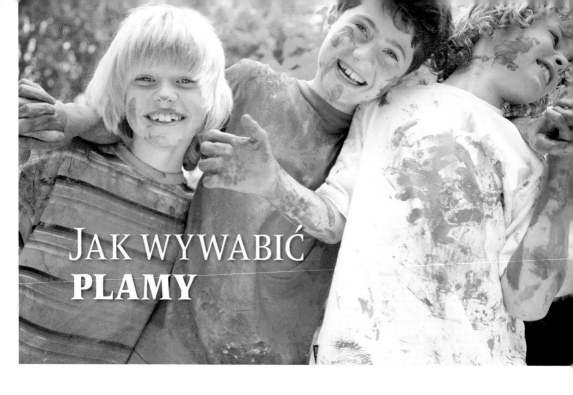

Jak wywabić
PLAMY

Wiele razy przekonałam się, że najważniejsza jest szybka reakcja. Większość codziennych zabrudzeń zniknie, jeśli od razu przepłuczesz je wodą. Dotyczy to kawy bez cukru, soku z buraków (popularnego w reklamach proszków do prania), a nawet krwi.

Błoto – poczekaj, aż wyschnie, a następnie delikatnie zeskrob resztki. Następnie przetrzyj plamę spirytusem i upierz jak zwykle.

Czekolada – delikatnie zeskrob resztki (tak, by nie powiększać plamy). Zabrudzone miejsce lekko przetrzyj gąbką z ciepłym roztworem proszku do prania lub mydła. Wypłucz w ciepłej wodzie.

Czerwone wino – świeżą plamę posyp dużą ilością soli, która wchłonie i wilgoć, i kolor.

Białe tkaniny można przed wypraniem zamoczyć w roztworze spirytusu, w przypadku kolorowych pomoże dodana do wody odrobina amoniaku. Amoniak spożywczy znajdziesz w delikatesach, najczęściej na półce z proszkiem do pieczenia.

Dezodorant – plamy po antyperspirancie usuniesz, piorąc ubranie w wodzie z szamponem.

Guma do żucia – włóż ubranie do zamrażalnika lub obłóż kostkami lodu. Po stwardnieniu wykrusz resztki. Usuń ślad benzyną do czyszczenia.

Kawa i herbata – jeśli plama jest świeża, wystarczy trochę mydła i bieżąca woda. W przypadku opornych zabrudzeń można użyć octu lub soku z cytryny, a potem wyprać ubrania jak zwykle.

Krew – plamy z krwi (niestety, tylko świeże) bardzo dobrze zmywa zimna woda. Do wywabiania starszych zabrudzeń używa się sody oczyszczonej, roztworu wody utlenionej (w proporcji 1:5) bądź soku z cytryny, który ma delikatne właściwości wybielające.

Lakier do paznokci – usuwa go benzyna, aceton, spirytus lub chemiczny odplamiacz. To jednak mocno działające środki, dlatego nie nadają się do użycia w przypadku tkanin delikatnych i takich, które łatwo ulegają odbarwieniu. Drobny odprysk lakieru można próbować usunąć wacikiem nasączonym zmywaczem do paznokci.

Perfumy – najłatwiej usuniesz je, piorąc apaszkę lub bluzkę w wodzie z szamponem. Perfumy najlepiej rozpylać bezpośrednio na skórę, przed nałożeniem ubrania.

Smar – podłóż pod plamę ręcznik jednorazowy. Nałóż trochę masła i zostaw na kwadrans. Wypierz w ciepłej wodzie z płynem do naczyń.

Sos pomidorowy – świeże plamy należy natychmiast przepłukać wodą. Stare można zwilżyć płynem do mycia naczyń, zostawić na pół godziny, a następnie wyprać.

Szminka – w usuwaniu tego typu zabrudzeń sprawdza się benzyna apteczna. Przed praniem właściwym białe tkaniny można zamoczyć w wybielaczu z chlorem.

Nie susz ubrań zabrudzonych szminką, dopóki nie upewnisz się, że plamy znikneły, w przeciwnym razie możesz je tylko utrwalić.

Tłuszcz – plamy z oleju, masła lub majonezu usunąć może mąka ziemniaczana. Należy posypać nią zabrudzenie, zostawić na kilka minut, a następnie wyczyścić szczoteczką lub uprać. Tłuste plamy wywabia także benzyna, nie wolno jej jednak stosować na delikatnych tkaninach. W przypadku trudnych do usunięcia zabrudzeń warto sięgnąć po glicerynę.

Trawa – do czyszczenia takich zabrudzeń nie używaj gorącej wody. Plamy z trawy usuwa alkohol o wysokim stężeniu, woda utleniona, a nawet płyn do mycia naczyń. Wody użyj dopiero po przetarciu plamy alkoholem, nie odwrotnie.

Tusz z długopisu – brzegi plamy oznacz wazeliną kosmetyczną. Tusz rozpuści się po zastosowaniu izopropanolu, rozpuszczalnika stosowanego przy produkcji wielu kosmetyków (np. lakieru do włosów, którym możesz spryskać plamę). Do wywabienia plam z tuszu można użyć zmywacza do paznokci (ze względu na obecność acetonu) bądź denaturatu.

Wosk – wosk szybciej stwardnieje, jeśli obłożysz go kostkami lodu bądź włożysz ubranie do zamrażarki. Wtedy jego nadmiar można wykruszyć lub delikatnie podważyć nożykiem. Następnie przyda się biała bibułka i żelazko. Bibułkę przyciskamy do plamy, następnie przykładamy ciepłe żelazko, aż do całkowitego usunięcia śladów

Żywica – pod plamę połóż papierowy ręcznik. Usuń ją wacikiem zwilżonym spirytusem lub denaturatem.

PRASOWANIE

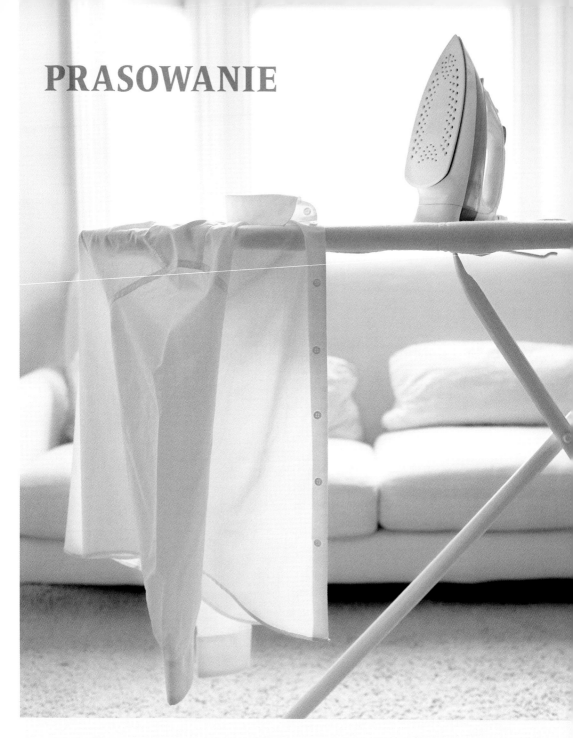

Koszula dobrze wyprasowana, zwłaszcza w domowych warunkach, to naprawdę rzadkość. Dla mężczyzn samodzielne prasowanie to trudne zadanie, często nie do wykonania. Zresztą nie tylko dla nich, bo newralgiczne miejsce koło kołnierzyka także mnie zawsze sprawiało dużo kłopotów. Może dlatego prasowanie stanowi jedną z najmniej lubianych przeze mnie domowych czynności?

Jak ułatwić sobie prasowanie

- Zainwestuj w dobre żelazko. Podstawą jest nawilżanie i prasowanie parą. Dodatkowo warto zainteresować się, czy sprzęt został wyposażony w system zapobiegający niekontrolowanemu wyciekowi wody (co może plamić ubrania) oraz przeciwdziałający osadzaniu się kamienia. Jeśli spełniony jest drugi warunek, do prasowania można używać wody z kranu. Istotne jest także, aby powłoka ceramiczna na stopie żelazka równomiernie rozprowadzała ciepło, co zapobiega wyświecaniu tkaniny. Bezpieczniej poczujesz się, dysponując sprzętem wyposażonym w automatyczny wyłącznik.

- Żelazko w miarę potrzeby należy oczyszczać z kurzu i zanieczyszczeń. Zimny spód przeciera się wodą z octem, a następnie poleruje suchą szmatką.

- Deska do prasowania powinna być stabilna i w miarę szeroka, aby nie trzeba było przekładać ubrań. Przyda się też regulacja wysokości (stosownie do wzrostu użytkownika). Niektóre deski obite są specjalną tkaniną oddającą ciepło, dzięki czemu prasuje się jednocześnie obie strony tkaniny. Ten sam efekt można uzyskać, wykorzystując folię aluminiową. Należy nałożyć ją na deskę błyszczącą stroną do góry, a następnie założyć pokrowiec.

- Ekspresową korektę zagnieceń, na przykład tuż przed wyjściem na imprezę, umożliwi specjalna rękawica do prasowania, dzięki której nie będziesz musiała rozstawiać deski. Za jej pomocą ubranie można wyprasować nawet na wieszaku.

- Zawsze sprawdź zalecania producenta odnośnie temperatury prasowania. Jeśli ubranie nie ma metki, wykonaj próbę na niewidocznym fragmencie, po lewej stronie.

- Prasowanie zacznij od ubrań wymagających najniższej temperatury. W ten sposób żelazko pobiera mniej energii, a Ty unikasz ryzyka spalenia ulubionej bluzki.

- Większość tkanin prasuje się po wewnętrznej stronie. Po prawej (przez wilgotną ściereczkę) prasuje się ubrania z wełny, delikatnie przykładając do nich żelazko. Przez ściereczkę można prasować także ciemne tkaniny, które łatwiej się wyświecają.

- Niektóre materiały, takie jak aksamit, najlepiej prasować w powietrzu. Przyda się tu pomoc drugiej osoby, która przytrzyma i lekko naciągnie ubrania. Przed prasowaniem aksamit warto zwilżyć parą wodną.

- Dobrze jest pamiętać, że ubrania, które rzadko mają kontakt z żelazkiem, dłużej zachowują miękkość. Nie należy zatem prasować bielizny (która w ten sposób traci przewiewność) ani ręczników.

Orientacyjne temperatury prasowania:

nylon	60–90°C
wiskoza	90–120°C
jedwab naturalny	90–120°C
wełna	120–150°C
bawełna	150–180°C
len	180–220°C

Jak wyprasować spodnie

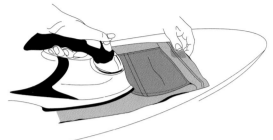

1. Wywiń spodnie na lewą stronę.
2. Wyprasuj kieszenie, przednie i tylne, tak aby płasko przylegały do powierzchni.

3. Wygładź żelazkiem miejsce koło rozporka, szwów i obszyć – najpierw jednej, potem drugiej nogawki.

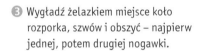

4. Odwróć spodnie na prawą stronę.

5. Wyprasuj górę spodni, czyli pas. Aby ułatwić sobie zadanie, nałóż pas na szerszy koniec deski (nogawki mogą zwisać). Powoli obracaj, aż wygładzisz przód i tył.

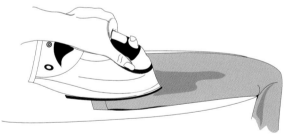

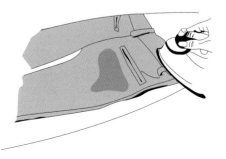

7. Utrwal kanty parą, przesuwając żelazko po krawędzi nogawek.
8. Po prasowaniu odwieś spodnie na wieszak.

Jak wyprasować koszulę

1. Najlepiej prasować koszulę lekko wilgotną. Można ją delikatne spryskać wodą albo (prościej) zabrać się za prasowanie, gdy jeszcze nie do końca wyschła po praniu.

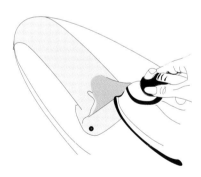

2. Zacznij od kołnierzyka – wyprasuj najpierw lewą, potem prawą stronę.

3. Najtrudniejsza część to karczek, czyli tylna część koszuli. Wyprasuj środkową jego część. Następnie naciągnij górną część rękawa na węższy koniec deski i przeprasuj.

4. Rozepnij mankiety, ułóż guzikiem do góry i uprasuj je.
5. Do prasowania rękawów warto użyć małej deseczki, tzw. prasownika. Wtedy nie będą miały zagnieceń i kantów. Można też wyprasować rękaw na tradycyjnej desce, zostawiając delikatne zagięcie po zewnętrznej stronie. Rękawy wygładzaj od środka na zewnątrz.

6. Wyprasuj tył koszuli od karku w dół.
7. Wyprasuj przednią część koszuli – osobno stronę z guzikami, osobno z dziurkami, za każdym razem wygładzając je na desce.
8. Na zakończenie raz jeszcze wyprasuj kołnierzyk.

Gdzie urządzić
KĄCIK
DO PRASOWANIA

Miejsce do prania i prasowania możemy zorganizować w wielu pomieszczeniach. Niektórzy właściciele domków jednorodzinnych wygospodarowują specjalną pralnię, posiadacze mieszkań muszą zadowolić się raczej wydzieloną przestrzenią w łazience lub kuchni. Powinna się w niej znaleźć pralka, kosze na brudne ubrania (najlepiej kilka, aby już na tym etapie dokonywać sortowania), rozkładana suszarka, żelazko i deska do prasowania. Czasami trudno wszystko umieścić razem. Deskę lub żelazko można w takim przypadku trzymać po prostu w szafie (w sklepach z wyposażeniem wnętrz dostępne są specjalne haki do przechowywania).

Jak wyczyścić przypalone żelazko

Smugi spalenizny na żelazku nie tylko nieestetycznie wyglądają, ale także uniemożliwiają prawidłowe prasowanie. Aby je usunąć, wyłącz żelazko z kontaktu i pozwól mu przestygnąć. Ciepły (ale nie gorący) spód przetrzyj energicznie szmatką nasączoną octem. Do usuwania spalenizny możesz użyć także soli. Wysyp ją na kartkę lub gazetę i wolnymi ruchami przeciągaj po niej ciepłe żelazko, aż do usunięcia nalotu.

DEKORACJA

*P*ranie i prasowanie były kiedyś domowymi czynnościami, które rozkładały się na wiele dni. Najpierw prało się odzież, potem suszyło, w końcu maglowało i składało. Dziś dbanie o garderobę to po prostu element codziennej rutyny. Można ją sobie umilić, wybierając pachnące płyny do tkanin, niezawodny sprzęt, ładne kosze na ubrania (np. wiklinowe, wyścielone płótnem). Ostatnio prawdziwym przebojem są spersonalizowane ozdoby w postaci zdjęć umieszczanych na drzwiach szafy. Kadry wybrane przez właściciela mieszkania po wywołaniu wkłada się do specjalnego pojemnika montowanego na zewnątrz. Ciekawe? Bez wątpienia. Ale dla mnie najlepszą dekoracją w garderobie są czyste, pachnące i nienagannie poskładane ubrania.

Pokój dziecięcy

NAUKA PORZĄDKU

Jestem zwolenniczką tezy, że dzieci wychowujemy przez to, co robimy, a nie to, co mówimy. Ja i moi synowie mamy swój wieczorny rytuał: przed snem bierzemy do ręki wiklinowy koszyk i chodząc po mieszkaniu, wkładamy do niego porozrzucane zabawki. Dla Stasia i Tadzia to nie tylko sygnał, że zaraz pójdą spać, ale i pierwsza nauka sprzątania. Rzecz równie ważna, jak mycie zębów. Wielu rodzicom wydaje się, że ich dzieci są zbyt małe, by umiały wprowadzić wokół siebie ład. I że przyjdzie jeszcze na to odpowiednia chwila. Po kilkunastu latach z niedowierzaniem patrzą na sterty starych zeszytów, zakurzone biurko i stos brudnych ubrań na podłodze w pokoju nastolatka. „Posprzątaj pokój" – mówią kategorycznie, problem w tym, że ich syn czy córka nie potrafią nadać tym słowom żadnego znaczenia.

Pokój dla dzieci to jedno z moich ulubionych miejsc w domu. Tu możemy pozwolić sobie na trochę szaleństwa: pomalować sufit w chmurki, nadać lampie kształt helikoptera. Poprzez nasze dzieci wracamy do własnego dzieciństwa i czasów, gdy wszystko było możliwe. Jest miło, bezpiecznie, kolorowo. I twórczo: bo pokój dziecięcy zmienia się wraz z dorastaniem swojego lokatora.

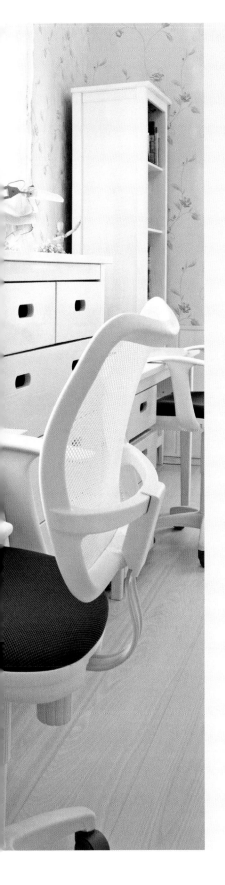

JAK **NAUCZYĆ** DZIECI **SPRZĄTAĆ**

Przede wszystkim proponując im zadania odpowiednie do wieku. Czterolatek nie zetrze kurzu, ale jest w stanie zrozumieć, że zabawkę wkłada się do pudełka czy koszyka, czyli „na swoje miejsce". Dla małych dzieci sprzątanie z mamą może być rodzajem zabawy i sposobem na wspólne spędzenie czasu. To właściwie jedyna możliwość – kilkulatek pozostawiony sam sobie z pewnością nie zrobi porządku, bo nie do końca odróżnia go od bałaganu. Powiedzmy jasno: sama musisz lubić sprzątać, aby zachęcić do tego swoje dziecko. Ważna jest cierpliwość i konsekwencja. Jeśli dzień w dzień będziesz odkładać ze swoją pociechą zabawki na półkę, stanie się to dla niej nawykiem, a nie wydarzeniem z gatunku „specjalnych". Małe dziecko powinno dostać jasny komunikat. „Połóż misia na półkę" brzmi o wiele lepiej niż „posprzątaj swój pokój". Dlaczego? Bo zachęca malucha do wykonania określonej czynności, a nie zrozumienia abstrakcyjnego terminu „sprzątanie". Zawsze pochwal syna czy córeczkę za odłożenie rzeczy na miejsce. Naprawdę, rodzicielskie ciepło i uznanie może zdziałać cuda.

Psychologowie twierdzą, że trzylatek potrafi już porządkować zabawki. Nieco starsze dziecko może sprzątnąć swój talerzyk ze stołu. Ośmiolatki są w stanie nakarmić zwierzątko, wyrzucić śmieci, odłożyć swoje ubrania do szafy. Dorastające dziecko może dodatkowo wyprowadzić psa na spacer, pozmywać naczynia i posegregować rzeczy do pralki, by w końcu jako nastolatek zająć się większością prac domowych. Tyle teoria. W praktyce nastolatki to mistrzowie odwlekania, a słowa „nie teraz", „później", „jutro" wydają się królować w ich słowniku. Tymczasem wiek nastu lat to ważny moment, bo właśnie wtedy młody człowiek przez sprzątanie w pokoju musi nauczyć się samodzielności, dbania o siebie i nieliczenia na nieustanne wyręczanie przez innych. Nie ma prostej metody zachęcenia nastolatka do sprzątania. Niewiele da posługiwanie się nakazami i zasadami, które wywołają raczej odruch buntu niż chęć współpracy. Lepiej odwołać się do tego, że dom to wspólnota, w której każdy ma swój udział. Nastolatek to partner, z którym można ustalić zakres obowiązków. Pamiętaj jednak, aby obowiązki i zadania związane ze sprzątaniem rozdzielić sprawiedliwie między rodzeństwem.

Walka między nastolatkami a rodzicami o porządek jest nierówna. Im bardziej w sobotni poranek naciskasz: „Zrób porządek w swoim pokoju", tym intensywniej umysł twojego dziecka szuka okazji do zabawy i uniknięcia nieprzyjemnych w jego mniemaniu sytuacji. Ale nie możesz rezygnować. Po pierwsze, dziecko przez sprzątanie uczy się szanować wartość rzeczy, które ma. Po drugie, zaczyna kreować wokół siebie spokojną, pełną ładu przestrzeń. I nawet nie wyobraża sobie, jak bardzo przyda mu się ta umiejętność w trudnych czasach, gdy będzie miał do rozwiązania wiele dorosłych problemów.

ORGANIZACJA

W pokoju dziecięcym kluczowe jest zapewnienie bezpieczeństwa. Farby nie mogą być toksyczne (szukaj tych z atestem), powinny też być wodorozcieńczalne i nie wywoływać alergii. Ostre kanty trzeba zabezpieczyć za pomocą specjalnych gumowych lub plastikowych nakładek. Gdy masz małe dzieci, w bezpiecznej odległości przechowuj też niektóre zabawki, aby maluchy nie mogły po nie sięgać bez nadzoru dorosłych. Meble można zabezpieczyć śrubami mocowanymi do ściany. Pod oknem nie należy stawiać stołów, krzeseł, ław, na które dziecko mogłoby wejść (a następnie dostać się na parapet). Potencjalnie niebezpieczne są też szuflady: łatwo wysuwalne mogą spaść razem z całą zawartością maluchowi na głowę. Można temu zapobiec, zamawiając specjalne blokady, dzięki którym szuflady wysuwają się tylko do określonego momentu. Jeśli w pokoju dziecka znajdują się stoły lub stoliki, nie kładźmy na nie obrusów. Jeden ruch wystarczy, by to, co na nich stoi, zraniło malucha.

Jak wybrać łóżeczko

Bezpieczeństwo i funkcjonalność to argumenty, które musimy brać pod uwagę przy wyborze mebli do pokoju dziecięcego. Wygląd jest na drugim miejscu.

• Zadbaj o to, by łóżko było stabilne, nie ruszało się na boki, nie trzeszczało. Początkowo dziecko będzie w nim tylko leżało i spało, ale z czasem stanie się centrum jego aktywności. Maluch będzie w nim wstawał, bawił się, podskakiwał, badał

świat. Łóżko, a szczególnie jego podstawa, musi to wytrzymać.

• Przestrzeń między szczebelkami nie powinna być większa niż 6 cm, tak aby niemowlę nie mogło włożyć między nie główki i zakleszczyć się. Kilka szczebelków można z czasem wyjąć, aby ułatwić wychodzenie starszym niemowlętom (w przeciwnym razie będą usiłowały wydostać się górą, a to znacznie mniej bezpieczne). Dobrym rozwiązaniem jest zdejmowany bok. Ułatwi ci pielęgnację noworodka, a gdy maluch podrośnie, będzie miał klasyczny tapczanik. Jeśli chcesz, by łóżko służyło dziecku dłużej, zdecyduj się na szerszy wymiar, czyli 140×70 cm (standardowy rozmiar to 120×60 cm).

- Sprawdź staranność wykonania. Łóżko nie może mieć śrub, które da się łatwo wyjąć i włożyć do buzi. Musi być idealnie wyszlifowane, bez drzazg wbijających się w paluszki.
- Zadbaj o naturalność. Zdrowe łóżeczko to mebel wykonany z litego drewna, najlepiej niemalowanego. Jeśli musimy łóżko pomalować, sprawdźmy, czy farba nadaje się do użycia w pokojach dziecięcych. Wybór ułatwi atest Instytutu Matki i Dziecka.
- Pamiętajmy, że w okresie ząbkowania dziecko zacznie „ogryzać" krawędzie łóżeczka. Możemy zabezpieczyć je specjalnymi nakładkami, tak aby były bezpieczne dla jego dziąseł.
- Jeśli pierwszym łóżkiem dziecka jest kołyska, pamiętajmy, że nie może mu służyć dłużej niż do 3–4 miesiąca życia. Później niestabilne posłanie może być przyczyną wypadków, nie pasuje też do kolejnego etapu rozwojowego dziecka.
- Podstawę łóżka powinniśmy umieszczać na kilku wysokościach. Najwyżej, gdy jest malutkie (wtedy mamie łatwiej jest wykonywać czynności pielęgnacyjne), niżej w miarę rośnięcia (wtedy dziecku będzie trudniej wydostać się na zewnątrz). Średni poziom wybieramy, gdy maluch zaczyna siadać, najniższy – gdy próbuje stać i raczkować.
- Rekomendowany materac powinien mieć średnią twardość. Materace sprężynowe są bardziej elastyczne, ale jednocześnie cięższe niż piankowe (co ma znaczenie przy zmianie pościeli). Lateks lepiej odprowadza wilgoć i nie odkształca się. Niezależnie od wypełnienia materac nakrywamy plastikowa nakładką, chroniącą przed przemoczeniem (więcej informacji o rodzajach materacy znajdziesz w rozdziale poświęconym sypialni). Ważne, by materac dopasowywał się ściśle do wymiarów łóżeczka – szczelina między ramą a materacem nie powinna być większa niż 2 cm, aby nóżka ani rączka dziecka nie zaklinowała się pośrodku.

- Bardzo ważne jest to, gdzie stawiamy łóżeczko. W pierwszym okresie dobrym miejscem jest po prostu sypialnia rodziców. Dzięki temu unikamy nocnych wędrówek po domu w okresie karmienia piersią, od razu otrzymujemy też sygnał, że dzieje się coś niepokojącego. Łóżeczka nie umieszczajmy blisko okna. Chroni to przed przeciągami i nadmiernym nasłonecznieniem. Dziecko nie ma też bezpośredniego dostępu do ozdób przy zasłonach (które może zerwać lub włożyć do buzi) oraz parapetu, na który mogłoby wejść. Miejsce dla dziecka powinno znajdować się z dala od źródeł ogrzewania, by uniknąć przegrzania. Na ścianach przy łóżku nie wieszajmy też zdjęć i obrazków, zwłaszcza tych w ciężkich ramach, które mogą spaść i zranić niemowlaka. Dobrym miejscem na posłanie jest kąt naprzeciwko drzwi, aby maluch od razu widział osoby wchodzące do pokoju.
- Wiszące na łóżeczku zabawki usuwamy, gdy dziecko zaczyna chwytać je rączką lub skończy pięć miesięcy. Służą one do oglądania, nie do wkładania do buzi.

Stolik do przewijania

Stolik do przewijania to twoje centrum dowodzenia. A jednocześnie miejsce, gdzie nie tylko myjesz czy pudrujesz swojego maluszka, ale także wymieniasz z nim czułości. Zadbaj więc, by ta część pokoju była wygodna dla ciebie i dziecka.

- Stolik do przewijania zaopatrz w wiele przegródek. Dzięki temu sięgając po puder czy pieluszkę, nie stracisz dziecka z oczu. Przegródki (lub koszyczki) powinny być otwarte, abyś miała do nich łatwy dostęp bez konieczności mocowania się z zamknięciem.

- Zapewnij sobie podstawowe rzeczy do pielęgnacji: zestaw pieluszek jednorazowych i tetrowych wielokrotnego użycia, wilgotne chusteczki, krem na podrażnienia, puder, oliwkę, kocyk, szczoteczkę dziecięcą, waciki, ręczniki, specjalne nożyczki, małe zabawki, zapasowe ubranko na zmianę. Pieluszki tetrowe posłużą nie tylko jako zamiennik pampersów, ale i podkładka do przewijania czy ręcznik. Z dala od dziecka, ale w zasięgu swojego wzroku zorganizuj zestaw pierwszej pomocy. W oddzielnym pudełku lub koszyczku powinien znaleźć się termometr, pompka do uszu, aplikator do nosa, środek na podrażnienia słoneczne i ukąszenia owadów, środki przeciwbólowe dla niemowląt, instrukcja pierwszej pomocy.

- Dobierz wysokość stolika do swojego wzrostu. Chodzi o to, żebyś nie musiała się za bardzo schylać.

- Jeśli miejsce na to pozwala, wybierz solidny, samodzielnie stojący stolik do przewijania. Te przykręcane do ściany i składane są mniej bezpieczne. Upewnij się, że miejsce do przewijania zaopatrzone jest w drewniane krawędzie zabezpieczające, dzięki którym dziecko nie będzie przekręcało się z jednego krańca na drugi. Przewijaki w postaci nakładek na łóżeczka mają boki z ceraty. Pamiętaj, by zapewnić stabilność takim nakładkom przez nałożenie na specjalne bolce zamontowane do łóżeczka.

- Nigdy nie zostawiaj dziecka na stoliku bez opieki.

- Zrezygnuj ze stolika do przewijania, gdy dziecko osiągnie odpowiednią wagę (wskazaną przez producenta) lub skończy dwa lata.

Meble w pokoju dziecięcym

Maluchowi wystarczy łóżko i przewijak. Przedszkolak ma już większe potrzeby: w jego pokoju znajdzie się standardowe łóżko, niski stolik, przy którym da upust swojej kreatywności (przez malowanie, kolorowanie, prace z plasteliną), małe krzesełko, regał na książki i zabawki, komoda na ubranka. W pokoju ucznia dodatkowo trzeba wygospodarować dobrze oświetlone miejsce, przy którym będzie można spokojnie czytać i odrabiać zadania domowe. Kluczem do utrzymania czystości jest minimalizm: nie zaśmiecajmy pokoju dziecka rzeczami, których nie potrzebuje, a które karmią jedynie wyobrażenie rodziców o „uroczym kąciku". Nie inwestuj w słodkie bibeloty, trudne do czyszczenia dywany, rośliny doniczkowe ani nadmiar ozdób. Zarówno w pokoju przedszkolaka, jak i nastolatka można ustawić meble, które da się zmieniać, np. przez inne ustawienie, zmianę pokrowców, wymianę dodatków. W ten sposób prosty pokój stanie się pirackim statkiem, pokojem księżniczki albo bazą hippisów z lat 70. Im starsze dziecko, tym większy chce mieć wpływ na wygląd swojego królestwa. Pozwól mu na to, nawet jeśli manifestacja indywidualnych preferencji miałaby ograniczać się do wyboru koloru ścian.

Jak dbać o pokój dziecka

- Ściany i podłogi wykończ materiałami, które łatwo oczyścić. Ściany – zmywalnymi farbami i tapetami, podłogi panelami laminowanymi, drewnianymi lub drewnem wykończonym lakierem wodnym albo olejem. Plamy na ścianach zmyjesz wilgotną ściereczką z mikrofibry lub gąbką nasyconą małą ilością bezbarwnego płynu do mycia naczyń. Tłuste plamy usunie płyn do mycia szyb.
- Zasłony w pokoju dziecka mogą być wykonane z bawełny, dzięki czemu łatwiej i częściej można je prać. To ważne, bo na zasłonach zbiera się bardzo dużo kurzu. Zamiast zasłon można też zastosować rolety lub żaluzje.
- W pokoju dziecka w wieku szkolnym sprzątanie ułatwiają meble na kółkach (w pokoju małych dzieci mogą być niebezpieczne). Da się je łatwo przesunąć i wyczyścić kurz osiadający na podłodze.
- Co tydzień zmień pościel, umyj podłogę, także pod meblami, wytrzyj kurze.
- W miarę potrzeby odkurz i przekręć materac, wypierz zasłonki.
- Znajdź miejsce na zabawki. Może to być półka, szafka, koszyki, kartonowe lub plastikowe pudełka albo uszyte własnoręcznie pokrowce z kieszonkami na drobiazgi. Podziel zabawki na kategorie (samochodziki, lalki, pluszaki) i trzymaj je w wybranych z dzieckiem miejscach. Nie gromadźcie zniszczonych zabawek. Jeśli nie da się ich naprawić, wyrzuć je, choćby bez wiedzy dziecka.

DEKORACJA

Najbardziej lubię te dekoracje, które wynikają z dziecięcej potrzeby eksperymentowania, próbowania, kreowania własnego świata. Kiedyś mama walczyła, by synek nie malował po ścianach. Dziś... może go wręcz do tego zachęcać. Wystarczy pomalować farbą tablicową (o ogromnej wytrzymałości na ścieranie) kawałek ściany lub stołu, a dziecko będzie mogło po nim mazać do woli. Rysunki da się łatwo usunąć gąbką i czekać na kolejne dzieło naszego potomka. Cywilizowaną formą bazgrania po ścianie jest też użycie szablonów. Pozwalają one na precyzyjne wyczarowanie kształtu zajączka, żółwia, drzewa czy domku, a tobie i dziecku zapewniają dobrą zabawę. Formą dekoracji może też być wspólne z dzieckiem projektowanie mebli. Istnieją firmy, które oferują motyw układanki do stworzenia unikalnego kształtu regałów. Można w ten sposób stworzyć uproszczony motyw dziewczynki z kotem, samochodu, gitary i wiele innych wzorów związanych z pasją dziecka.

Łazienka
CZYSTA PRZYJEMNOŚĆ

Zawsze, gdy mam ochotę na odrobinę spokoju, znaj-
duję go... w łazience. Szum puszczanej do wanny wody,
zapachy kosmetyków i dwadzieścia minut tylko dla
siebie – nie ma możliwości, by ten zestaw nie zadzia-
łał kojąco. Projektanci, jak Philipe Starck, proponują
pokoje kąpielowe, gdzie znajdzie się miejsce i na desig-
nerską wannę, i stolik, przy którym można wypić
kawę. My zwykle nie mamy takich możliwości aranżacji wnętrz, ale coraz częściej nawet nieduże polskie
łazienki przypominają domowe spa. Mydło i szampon
chowamy do szafek, a na pierwszy plan wysuwają się
lustra w oryginalnych ramach, efektowne pojemniki,
światło świec. Aby uzyskać taki efekt, musimy jednak
przede wszystkim zadbać o bezwzględną czystość.
Mam wrażenie, że nie jestem odosobniona w przeko-
naniu, że warto to zrobić, by znaleźć ukojenie nie tylko
dla ciała, ale i ducha.

ODGRUZOWANIE

Najpierw wynieśmy z łazienki wszystko, co nam przeszkadza: chodniki i dywaniki, kosze na bieliznę, małe szafki, doniczki i kosmetyki. Na początek omiatamy sufit i usuwamy z niego pajęczyny oraz odkurzamy lampy. Jeśli mamy okno – myjemy je. Czyścimy też kratkę wentylacyjną i płytki na ścianach. Następnie zabieramy się za wyszorowanie wanny i kabiny prysznicowej oraz muszli klozetowej. Pamiętajmy, by przy generalnych porządkach (raz na miesiąc) odsunąć pralkę, aby dokładnie wysprzątać to, co się za nią i pod nią nagromadziło.

W łazience niemal zawsze jest wilgotno i ciepło, a to wymarzone środowisko dla bakterii, grzybów i innych mikroorganizmów szkodliwych dla zdrowia. Sprzątanie w łazience musi więc uwzględniać pozbycie się niepożądanych gości. Należą do nich owady w rodzaju rybika cukrowego, dla którego łazienki i toalety są wymarzonym miejscem do życia, zwłaszcza w nocy. W pierwszej kolejności powinniśmy dokładnie wywietrzyć pomieszczenie i wytrzeć wszelkie miejsca, gdzie zbiera się woda (np. narożniki wanny). Co jakiś czas warto też przelać wrzątkiem odpływy w wannie i umywalce. Jeśli rybiki często pojawiają się w naszym domu, kupmy w aptece chlorek amonowy, dodajmy go do gorącej wody (w proporcji 1 do 10) i zostawmy w łazience aż do wystygnięcia.

W czyszczeniu łazienki pomogą nam dostępne w sklepach detergenty do najróżniejszych zadań – usuwania kamienia, dezynfekcji, odtykania zapchanych rur. Ciągle jednak możemy korzystać z dawnych metod stosowanych przez nasze babcie. Osad na kranach łatwo zlikwidować za pomocą octu (nasączoną nim szmatką owijamy baterię i po godzinie dokładnie spłukujemy wodą). Ocet pomoże też usunąć plamy z płytek oraz matowy osad ze szklanych drzwi kabiny prysznicowej. Cytryna natomiast sprawdza się przy szorowaniu i wybielaniu umywalek lub wanny. Ciemne i zabrudzone fugi łatwo

Błyskawiczny sposób na plamy
Plamy na płytkach ceramicznych przetrzyj szmatką zamoczoną w gorącym occie.

rozjaśnić proszkiem do pieczenia lub pastą z proszku i soku z cytryny (w równych proporcjach).

Po wyczyszczeniu toalety, umywalki, wanny i kabiny wszelkie powierzchnie ceramiczne przecieramy (a właściwie energicznie polerujemy) suchą ściereczką. Będą wtedy pięknie błyszczeć. Środki czystości wystawiamy z szafki, porządkujemy ją, myjemy i wykładamy na przykład ochronną matą z tworzywa. Na koniec przecieramy lustro, szafki, blaty i pralkę – łącznie z szufladkami na proszek, w których często zbiera się osad. Na koniec zostawiamy odkurzanie i mycie podłogi oraz wyczyszczenie fug. Wszystkie chodniki i dywaniki pierzemy.

Nadmierna wilgoć w łazience

Problem ten dotyczy zwłaszcza małych pomieszczeń, w których nawet krótki prysznic wystarczy, by wilgotność powietrza osiągnęła wysoki poziom. W walce z wilgocią (a w konsekwencji – z grzybami i pleśnią) przydatne są ciśnieniowe wywietrzniki w oknach i odpowiedniej wielkości otwory wentylacyjne w drzwiach. Jeśli zauważymy pleśń w fugach, może to świadczyć o niedokładnym wykończeniu łazienki, zastosowaniu wadliwego silikonu lub nieodpowiednim zamontowaniu armatury. Gdy pleśń ma postać czarnych lub zielonych przebarwień, pora na dokładne czyszczenie. Polega to na zdrapaniu około jednej trzeciej grubości fugi i impregnacji preparatami grzybobójczymi przeznaczonymi specjalnie do łazienek.

Jak długo przechowywać
KOSMETYKI I PRODUKTY DO PIELĘGNACJI

W posprzątanej łazience łatwiej przeprowadzić segregację. Wyrzucamy wszystko, co jest przeterminowane, czego od dawna nie używamy lub podejrzewamy, że nas uczula. Warto pozbyć się zwłaszcza starych gąbek i pumeksów, stanowiących wylęgarnię wszelkiego rodzaju drobnoustrojów. Jeśli się da, pochowajmy flakoniki i buteleczki, które choć może i zdobią nasze półki, to przede wszystkim gromadzą kurz. Na wierzchu zostawiamy tylko to, czego na co dzień używamy.

Przechowywanie kosmetyków

Tusz do rzęs
trzy miesiące

Maskary, których używamy miesiącami (a nawet latami!), mogą doprowadzać do uczuleń i zapaleń spojówek. Bakterie dostają się do środka tubki za każdym razem, gdy wyciągasz oraz wkładasz szczoteczkę i to właśnie one mogą wywoływać alergię. Z pewnością nieraz czułaś swędzenie lub pieczenie w okolicach oczu – to najlepszy znak, że pora zmienić tusz do rzęs. Nie na inny – na nowy. Nawet jeśli starego jeszcze nie zużyłaś.

Nożyki do golenia
od czterech do sześciu tygodni

Tylko nowe ostrza zapewnią idealne golenie, nie będą podrażniać skóry i powodować zaczerwienień. Golenie nożykiem, który miesiącami leży w łazience i pokryty jest nawet delikatną rdzą (czasem nawet jej nie widać), to prosta droga do wywołania uczuleń i stanów zapalnych (zwłaszcza w tak delikatnych miejscach, jak pachy czy pachwiny). Jeśli więc golisz się nożykami – kupuj jednorazówki albo systematycznie wymieniaj ostrza.

Kremy i toniki
od sześciu do 12 miesięcy

Im bardziej higieniczny sposób aplikowania, tym dłuższy okres przechowywania. Produkty w tubkach lub z pompką można przechowywać dłużej niż te w klasycznych słoiczkach. Jeśli chodzi o preparaty złuszczające (peelingi), bardziej odporne na psucie są te na bazie oleju.

Gąbki
dwa tygodnie
Wskazany termin dotyczy sztucznych gąbek. Dlatego lepiej zainwestować w naturalne, odporne na działanie chemikaliów i zdolne do samooczyszczania bez gromadzenia bakterii (wypłukuje je woda przez mikroskopijne kanaliki).

Szczoteczka do zębów
trzy miesiące
Dentyści twierdzą, że życie szczoteczki kończy się dokładnie po sześciu godzinach pracy (dwa razy dziennie po dwie minuty daje w sumie sześć godzin po trzech miesiącach). Po tym okresie włoski stają się miękkie, zaczynają wypadać, a na szczoteczce zbierają się bakterie. Szczoteczkę powinniśmy wytrzeć i wysuszyć po każdym użytkowaniu i nie trzymać jej w zamkniętych pojemnikach.

Szczotka do włosów
do zniszczenia ząbków
Szczotka do włosów zwykle leży na wierzchu, przez co zbiera się na niej kurz, wilgoć i łój. Amerykańska organizacja konsumencka Food And Drink Federation twierdzi, że na milimetrze każdego mieszka włosowego znajduje się 50 tys. drobnoustrojów. Dlatego szczotkę do włosów należy myć raz w tygodniu, koniecznie w gorącej wodzie! Kiedy ząbki zaczynają wypadać lub są już mocno zniszczone, wymieniamy ją na nową.

Szminka
od dwóch do trzech lat
Sygnałem do wyrzucenia szminki jest zmiana koloru i konsystencji (pomadka staje się za miękka).

Zasady przechowywania i używania kosmetyków
1. Przed nałożeniem fluidu zawsze myj ręce.
2. Przechowuj kosmetyki w chłodnym miejscu, z dala od światła, w szczelnie zamkniętych opakowaniach.
3. Gdy zauważysz, że kosmetyk się psuje, zmienia konsystencję lub zapach, wyrzuć go. Nie próbuj „reanimować" produktu przez dodanie wody albo olejku. Kosmetykowi to nie pomoże, a tobie może zaszkodzić.

Aplikatory
od trzech do sześciu miesięcy lub dłużej

O ile gąbki do nakładania podkładu trzeba wymieniać dość często (mimo prania), to pędzle mogą nam służyć nawet do 10 lat. Pod warunkiem jednak, że zachowamy podstawowe zasady higieny. Jeśli pędzle wykonane są z włosia naturalnego, możemy je prać (mydłem i ciepłą wodą lub szamponem) i regularnie otrzepywać z resztek pudru. Nie wolno używać pędzli, które stoją w łazience i łapią kurz – zanim nałożymy na nie kosmetyk, przynajmniej spłuczmy pędzel pod ciepłą wodą i wysuszmy suszarką.

Perfumy
trzy lata i dłużej

Żywotność zapachu przedłuża przechowywanie go w chłodnym miejscu i ograniczony kontakt z powietrzem. Jeśli zużyłaś pół flakonu perfum, przelej resztę do mniejszej buteleczki. Posłużą ci dłużej.

Rzeczy trzymane w łazience (nie tylko kosmetyki, ale także urządzenia elektryczne, zapasowe środki higieny itp.) warto choć częściowo chronić przed wilgocią. Im więcej schowków, tym lepiej. Jeśli mamy to szczęście, że w naszej łazience zmieści się i stojąca szafka, i komoda z szufladami – wszystko możemy w nich pochować. Gdy na takie meble nie ma miejsca, spróbujmy zamontować przynajmniej dodatkowe półki, na których ustawimy zamykane pudełka, lub wykorzystajmy przestrzeń pod umywalką. Kupujmy pojemniki z materiałów odpornych na wilgoć, na przykład z wikliny, szkła lub plastiku.

ORGANIZACJA
WANNA CZY KABINA?

Przyznam, że to pytanie z gatunku trudnych. Kąpiel w wannie zapewnia fantastyczny relaks, zwłaszcza gdy wzbogacimy ją o olejki eteryczne, zioła lub sole pielęgnacyjne. Jeśli jednak mamy za mało miejsca w łazience, warto zrezygnować z wanny i zamiast niej zainstalować kabinę prysznicową. Dzięki temu zyskamy więcej przestrzeni, którą można inaczej zagospodarować, na przykład wieszając dodatkowe półki albo szafki.

Jak przygotować relaksującą kąpiel

Woda nie powinna być ani za ciepła (grozi zaśnięciem), ani za chłodna (wyziębimy organizm). Wskazana temperatura to 30–38°C. Do kąpieli możemy dodać zioła (lipę, miętę, lawendę) w specjalnych woreczkach z materiału lub opakowaniach herbacianych. Dużo przyjemności dostarczą też olejki eteryczne. Olejek różany zadziała odmładzająco (dorzuć do kąpieli kilka płatków róży), tymiankowy – antyseptycznie, pomarańczowy – ułatwi walkę z cellulitem, zaś zapach drzewa sandałowego obudzi zmysły. Do kąpieli możemy też dodać składniki, które znajdziemy w kuchni. Sól morska odświeży i ujędrni skórę, oliwa z oliwek nawilży ją, a mleko z miodem – odżywi.

Jak pokazują statystyki sprzedaży, Polacy chętniej kupują **kabiny prysznicowe i brodziki** niż wanny. Ich popularność wiąże się z aktywnym i szybkim trybem życia. W grę wchodzą również spore oszczędności, ponieważ korzystając z prysznica, zużywamy 30 litrów wody na minutę, a w wannie ponad trzy razy więcej. **Kabiny natryskowe** to idealne rozwiązanie dla osób starszych. Przy zastosowaniu płytkiego brodzika nie ma konieczności przekraczania wysokiego progu, a wstawienie specjalnego stołeczka umożliwia mycie na siedząco. Głęboki brodzik z przelewem typu wannowego jest także bezpieczniejszy, bo minimalizuje ryzyko poślizgnięcia się.

Jeśli decydujemy się na zakup wanny, coraz częściej wybieramy te z **hydromasażem** bądź różne modele **jacuzzi**. Również tradycyjne wanny cieszą się popularnością, szczególnie w rodzinach z małymi dziećmi. Popularne są **wanny akrylowe**, wykonane z samego akrylu lub z dodatkiem żywicy poliestrowej z włóknem szklanym, co zapewnia twardość oraz odporność na zarysowania, uderzenia i działanie środków chemicznych. Ich główna zaleta to izolacja termiczna – woda w takiej wannie długo pozostaje ciepła. Niektóre modele są dodatkowo wyposażone w powłokę antybakteryjną, dzięki czemu wolniej rozwijają się na nich bakterie, grzyby oraz pleśnie. Do-

datkową zaletę wanien akrylowych stanowi niewielki ciężar (ta o wymiarach 150 na 100 cm waży ok. 20 kg).

Wanny żeliwne są bardzo trwałe, odporne na uszkodzenia i długo utrzymują temperaturę wody. Ważna cecha to ognioodporność – dlatego nie musimy obawiać się niedopalonych świec. Wanny te są jednak bardzo ciężkie. Najczęściej mają prostokątne lub owalne kształty, często z ozdobnymi nóżkami (np. o formie lwich łap).

Wanny stalowe emaliowane charakteryzują się dużą odpornością na zarysowania, uderzenia i działanie środków chemicznych. Dostępne są w różnych kształtach, rozmiarach i kolorach. Niestety, trzeba pamiętać o tym, że woda nalana do takiej wanny szybko traci temperaturę.

Najrzadziej spotyka się **wanny wykonane ze sztucznego marmuru**, choć są one solidne, odporne na uszkodzenia mechaniczne, ciepłe w dotyku i długo utrzymują temperaturę wody. Ich wadą jest ciężar (nawet 200 kg) i wysoka cena.

W sytuacji, gdy marzy nam się i prysznic, i wanna, producenci proponują rozwiązania typu dwa w jednym. Najpopularniejsze to **parawany nawannowe**. Kupuje się je albo razem z wanną, albo oddzielnie. Mogą być uchylne i składane, z reguły wykonywane są z hartowanego szkła.

Jak wyczyścić wannę z hydromasażem, kabinę parową lub natryskową

1. Do codziennego mycia stosujemy miękkie ścierki lub gąbki. Wykorzystujemy środki chemiczne przeznaczone do armatury łazienkowej. Używanie acetonu, amoniaku, karbinolu, formylu, formaldehydu, substancji ściernych czy żrących środków chemicznych jest zabronione, gdyż może uszkodzić powierzchnię akrylową wanny lub kabiny.

2. Nie używamy szorstkich ścierek i gąbek, szczotek z metalowymi drutami ani ostrych i ciężkich narzędzi, takich jak nóż czy skrobak.

3. Kamień osadzający się na powierzchni można usunąć kwaskiem cytrynowym, esencją octową lub specjalnymi środkami do czyszczenia.

4. Wodę należy spuszczać natychmiast po kąpieli, a następnie oczyścić urządzenie z resztek osadów (mydło, włosy itd.), osuszyć powierzchnię suchą szmatką i wyłączyć zasilanie.

Jak wyczyścić główkę prysznica
To jedno z trudniejszych miejsc do czyszczenia, bo dość szybko powstaje na nim osad z kamienia, blokując otwory na wodę. Aby go usunąć, zanurz prysznic w wodzie z octem, zostaw na godzinę, a następnie spłucz. Można też zrobić okład z gazy zwilżonej papką z ciepłego octu i proszku do prania.

Patent na zadbaną wannę
Aby wanna lub kabina wyglądały świeżo, po umyciu przetrzyj je oliwką do pielęgnacji niemowląt lub olejkiem cytrynowym.

Szkło bez zacieków

Szklane drzwiczki kabiny prysznicowej zabezpieczysz przed białymi plamami z wody, pokrywając go specjalnym impregnatem, dostępnym w sklepach z wyposażeniem łazienek.

Jak wyszorować ubikację

Muszla klozetowa może być trudna do wyczyszczenia, zwłaszcza jeśli mamy twardą wodę, która powoduje osadzanie kamienia. Jeśli nie czyści się zacieków regularnie, po jakimś czasie stają się one mocno brązowe, a nawet czarne. Plamy i osad z wody na brzegu oraz wewnątrz muszli klozetowej mogą zostać usunięte za pomocą gęstej masy zrobionej z sody oczyszczonej i wody. Wystarczy zanurzyć wilgotną myjkę w masie, a następnie wetrzeć w miejsca zabrudzone. W przypadku uporczywych plam nakładamy na nie masę i zostawiamy na około 15 minut. Na ścianki muszli klozetowej można też wylać szklankę octu i zostawić na godzinę. Ocet idealnie usuwa rdzę i plamy, ma też działanie wybielające i dezynfekujące. Warto też raz w tygodniu użyć specjalnego urządzenia wytwarzającego parę pod ciśnieniem i dokładnie wymyć muszlę. W środku zawieszamy środki zapachowe, które nie tylko usuwają nieprzyjemne zapachy, ale też skutecznie zabijają bakterie.

Misja specjalna

Oprócz sody i octu istnieją inne, bardziej zaskakujące środki, które można wykorzystać przy czyszczeniu toalet. Należą do nich cola (zostawiamy ją na godzinę, jak żel dezynfekujący, następnie spłukujemy) oraz... tabletki do czyszczenia protez dentystycznych.

Umywalki

W sklepach można dziś znaleźć wiele rodzajów umywalek. Najtańsze i najczęściej kupowane są umywalki **ścienne**, montowane bezpośrednio na ścianie. Syfon ukrywa się w postumencie. Umywalki można też umieścić **na blacie** lub **poniżej jego poziomu** (wtedy umywalka wygląda bardzo ładnie, ale zabiera miejsce na półki do przechowywania). Rodzajem umywalek umieszczanych pod blatem są umywalki **wpuszczane**. Umywalki **półblatowe** tylko częściowo wbudowane są w blat, w części wystają poza jego obszar. Rozwiązania tego typu stosuje się w wąskich pomieszczeniach, gdzie nie ma miejsca na blat pełnej szerokości. Funkcję blatu podtrzymującego może też spełniać szafka, wtedy mówimy o tzw. umywalkach **naszafkowych** albo **meblowych**. Najdroższą opcję stanowią umywalki **wolno stojące**, umieszczone w niecodziennym miejscu, na przykład pośrodku łazienki, najczęściej o efektownej, designerskiej formie.

Umywalki **akrylowe** są lekkie, odporne na zarysowania i pęknięcia oraz łatwe do utrzymania w czystości. Inne rozwiązanie to umywalki **ceramiczne**, czyli wypalane z kamionki szlachetnej lub glinki ogniotrwałej. Te najbardziej klasyczne ze wszystkich umywalek mają wiele zalet – umiarkowaną cenę, trwałość, stosunkowo wysoką odporność na zarysowania. Ich wada to podatność na stłuczenia. Ostatnio modne stają się umywalki **kamienne** – wykonane z marmuru, onyksu, dolomitu lub piaskowca. Największą ich zaletę stanowi estetyka, wadę – wysoka cena. Pasują do wnętrz nowoczesnych i klasycznych. Są odporne na stłuczenia i zarysowania, ale wymagają częstszego czyszczenia, ponieważ osady z mydła są na kamieniu mocno widoczne. Jeszcze inne rozwiązanie to umywalki **szklane** – najczęściej wykonuje się je ze szkła sodowo-potasowego, którego właściwości sprawiają, że woda bardzo szybko spływa i nie pozostawia zacieków. Stosowane szkło jest hartowane, więc nie tak łatwo je potłuc. Na rynku pojawiły się również umywalki **drewniane**, odpowiednio impregnowane. Do ich produkcji najczęściej wykorzystuje się egzotyczne gatunki z Afryki lub Azji, odporne na wodę, procesy gnilne i zagrzybienie.

Co zrobić,
by lustro mniej zachodziło parą
Posmaruj je odrobiną kremu do golenia i wypoleruj papierowym ręcznikiem.

Błyszczące baterie? To proste!
Aby krany przy umywalce lub wannie ładnie błyszczały, wyczyść je cytryną. Możesz bezpośrednio wycisnąć sok z połówki owocu.

Pralka idealna

Niewielu z nas może pozwolić sobie na odrębne pomieszczenie gospodarcze, do którego dałoby się wstawić pralkę. Najczęściej umieszczamy ją właśnie w łazience. Zakup pralki wbrew pozorom wcale nie jest prosty. Kierować się ekonomią czy praktycznością? A może da się wszystko idealnie połączyć?

Po pierwsze wielkość

Zastanów się, ile masz miejsca w łazience – czy zmieścisz w niej normalną pralkę (ładowaną od przodu), czy raczej mniejszą

(ładowaną od góry). Ta pierwsza jest bardziej stabilna i ma zdecydowanie większą pojemność. Jeśli jednak pierzesz mało rzeczy (nie masz małych dzieci), a twoja łazienka jest wyjątkowo ciasna, rozważ zakup mniejszej pralki.

Po drugie funkcjonalność

Dokładnie przemyśl, ile tak naprawdę potrzebujesz programów i jakich najczęściej używasz (niektóre pralki mają ich ponad 30!). Programy podstawowe to program do bawełny i syntetyków, pranie delikatne lub ręczne, program do wełny, pranie na zimno, program „eko", program „bio", odwirowywanie i płukanie. Jeżeli pierzesz często, ale twoje ubrania nie są zbyt zabrudzone, warto kupić pralkę z programem oszczędnego prania (ok. 30 minut). Jeśli nie cierpisz prasować, kup pralkę z funkcją łatwego prasowania – ubrania są równomiernie rozkładane i mało wygniecione. Ubrania twoich dzieci to jedna wielka plama? Kup urządzenie z funkcją odplamiania – jest to program, który przez odpowiednie rozłożenie cyklu i temperatury prania pozwala na usunięcie uciążliwych plam (soki, kawa, błoto, trawa) bez stosowania chemicznych odplamiaczy. W zależności od tego, ile i jak często pierzesz, możesz wybrać pralkę o pojemności od 3,5 do 9 kg z prędkością wirowania od 600 do 2000 obrotów na minutę. Stanowczo możesz sobie natomiast odpuścić takie udogodnienia, jak pralka „mówiąca", która informuje o tym, co się dzieje z praniem, oświetlenie wnętrza bębna czy obrotowy pojemnik na detergenty (więcej o zasadach prania w pralce i dbaniu o ubrania znajdziesz w rozdziale poświęconym garderobie).

Po trzecie oszczędność

Zgodnie z normami Unii Europejskiej pralki klasyfikowane są według klas efektywności energetycznej. Wyróżnia się siedem klas, od A (bardziej efektywna) do G (mniej efektywna). Skala ta dotyczy wydajności pod względem zużycia energii i wody. Obecnie można też kupić pralki określane jako A+, czyli superoszczędne. Niektóre modele mają funkcję zraszania – woda nie jest doprowadzana do bębna z dna, lecz natryskiwana pod ciśnieniem

z góry. Przez to pralka potrzebuje mniej wody, aby zamoczyć i wypłukać pranie.

Po czwarte bezpieczeństwo

Przy zakupie pralki warto zwrócić uwagę na kilka czynników dotyczących bezpieczeństwa, takich jak blokada drzwi i wszystkich możliwych przycisków (przydatna zwłaszcza przy małych dzieciach) czy zabezpieczenie przed przelaniem i zalaniem sąsiada – pralka jest wyposażona w pompę, która włącza się automatycznie, gdy woda przekroczy określony poziom.

Po piąte ergonomia

Czyli wszystko to, co ma nam ułatwić korzystanie z pralki. Większość nowoczesnych urządzeń jest wyposażona w sterowanie elektroniczne (na wyświetlaczu widzimy, jaki wybraliśmy program, ile czasu zostało do końca prania, możemy też zaprogramować pranie na określoną godzinę). W zależności od tego, gdzie będzie stała nasza pralka, zwróćmy uwagę na to, jak otwierają się drzwi (prawo/lewo) oraz jaki jest kąt otwierania (pełny/niepełny). Ważne są też zbiorniki na proszki i płyny – te wyjmowane łatwiej wymyć.

Czy kupić pralko-suszarkę

W ten sposób zaoszczędzimy miejsce, ale pamiętajmy też o ograniczeniach takiego rozwiązania. Pralko-suszarka zużywa znacznie więcej energii niż zwykła pralka. Czas prania z suszeniem jest wydłużony. W suszarce możemy wysuszyć jednorazowo mniej więcej połowę wypranych rzeczy (podczas gdy wsad pralki to 5–9 kg, wsad suszarki wynosi zaledwie 2,5–6 kg). Jeśli więc mamy taką możliwość, lepiej kupić osobną suszarkę.

Zapach kontra zapach

W każdej łazience kotłują się najróżniejsze wonie – mieszanki kosmetyków, środków czystości, czasami kanalizacji. Na szczęście na rynku można dziś znaleźć całą gamę produktów, które nie tylko usuwają nieprzyjemnie zapachy, ale dodatkowo odświeżają pomieszczenie.

Buteleczki z rozpylaczem

To nowoczesne elektryczne urządzenia z wymiennymi wkładami w postaci szklanych buteleczek. Urządzenia wyposażone są również w regulator natężenia zapachu, okienka pokazujące poziom perfum w buteleczce oraz czerwoną kontrolkę wskazującą, który zapach uwalnia się w danej chwili.

Nawilżacze

To urządzenia, które oczyszczają powietrze, redukując zawartość drobinek kurzu i bakterii i przepuszczając powietrze przez warstwę wody. Dzięki temu neutralizowane są nieprzyjemne zapachy, a powietrze nawilżane i jonizowane.

Odświeżacze

Mogą być w sprayu, żelu lub płynie. Skutecznie neutralizują nieprzyjemne zapachy, wydzielając przy tym najróżniejsze aromaty – kwiatowe, leśne, morskie bądź owocowe.

Pachnący papier toaletowy

Wydziela delikatne zapachy, kwiatowe lub morskie.

Jeśli nie przepadasz za chemicznymi preparatami, sięgnij po naturę – zapachy owoców, ziół, przypraw.

Kadzidełka

Nie tylko wydzielają przyjemny zapach, ale też sprzyjają odprężeniu, zrelaksowaniu się i wyciszeniu. Niektóre kadzidełka neutralizują brzydkie zapachy, inne dostarczają pozytywnej energii.

Olejki eteryczne

Można je stosować na przykład do kąpieli, masażu lub inhalacji albo dodać kilka kropli do suszonych kwiatów i owoców (potpourri) bądź kominków zapachowych.

Suszona lawenda

Możesz kupić gotowe woreczki, ale i sama zasuszyć kwiaty. Lawenda idealnie nadaje się do przechowywania w szafach z ręcznikami. Można ją też trzymać na półkach z kosmetykami.

Świece zapachowe

Nie tylko ładnie pachną, ale są też doskonałym środkiem poprawiającym nastrój, zmniejszającym zmęczenie i stres. Jeśli podobają się nam zapachy lekkie, poszukajmy świec, w których dominuje nuta cytrusowa lub ziołowa. Jeśli preferujemy aromaty orientalne i zmysłowe – wybierzmy drzewo sandałowe, cynamon, wanilię.

Zioła i rośliny

Przenieś je z kuchni. Wiele gatunków roślin dobrze rośnie w łazienkach ze względu na wysoką wilgotność powietrza. Można je wyeksponować w przezroczystych miniakwariach wypełnionych barwnymi kamieniami. Szczególnie dobrze sprawdzą się cytrynowe odmiany macierzanki oraz szałwia i bazylia.

DEKORACJA

Architekci wnętrz przekonują, że dzisiejsze łazienki to nie tylko miejsca do mycia zębów czy kąpieli, ale prywatne oazy wellness. Na światowych targach wnętrzarskich pokazywane są prawdziwe łazienkowe dzieła sztuki. Wanna w kształcie liścia, wypoczynkowe leżaki z funkcją masażu, kamienny prysznic, lampa z kulami przypominającymi śnieżki – to wizja nowoczesnej łazienki według francuskiego designera Jean-Marie Massaudsa. Białe owalne wanny na podeście z małych kamyczków i parawan z zasuszonego kopru – taką oprawę kąpieli proponuje hiszpańska projektantka i architekt wnętrz Patricia Urquiola.

Nasze łazienki są najczęściej małe, ale to nie oznacza, że nie można ich przytulnie urządzić. Bardziej luksusowy charakter nadadzą pomieszczeniu kwiaty w wazonie albo zabytkowa szafka, w niczym nieprzypominająca łazienkowego mebla. Można też powiesić grafiki, plakaty lub fotografie artystyczne. Oczywiście muszą być one odpowiednio oprawione i zabezpieczone szybą przed działaniem wilgoci. Dobrą dekoracją jest dobranie odpowiedniego koloru ścian. W celu wizualnego powiększenia pomieszczenia użyjmy ciepłych bądź neutralnych kolorów. Wybierzmy eleganckie przybory toaletowe, takie jak pojemniki na mydło czy szczoteczki do zębów. Plecionki i drewno idealnie nadają się do prostych, jasnych wnętrz, ceramika, szkło i metal sprawdzą się w łazienkach przypominających luksusowy pokój kąpielowy, a wysokiej klasy plastik nieźle zaprezentuje się w pomieszczeniach minimalistycznych, urządzonych nowocześnie.

Ręczniki

To właśnie po ręcznikach (i po ściereczkach w kuchni) można, moim zdaniem, poznać klasę pani domu. Jestem wielką zwolenniczką jasnych ręczników. Nie tylko wyglądają bardziej elegancko, ale ze względu na kolor wymagają częstszego prania, wymuszając bardziej skrupulatne przestrzeganie zasad higieny. Zanim użyjemy nowego ręcznika po raz pierwszy, musimy go wyprać. Pozwoli to pozbyć się pozostałości substancji chemicznych użytych w procesie produkcji oraz zanieczyszczeń, które mogły dostać się do tkaniny w magazynie lub podczas transportu. Pierwsze pranie poprawi higroskopijność i sprawi, że tkanina uzyska większą odporność na uszkodzenia. Pomoże również utrwalić kolory i uchronić ręcznik przed odbarwieniem. W tym celu zaleca się dodanie do pierwszego prania szklanki białego octu.

Ręczniki zero twist

Dzięki temu, że włókna bawełny nie zostały ze sobą ściśle połączone poprzez skręcenie, jest między nimi więcej miejsca, w którym gromadzi się woda. Wilgoć może natychmiast wsiąkać w pojedyncze włókienka. Rozkręcenie włókien ułatwia też przepływ powietrza w tkaninie, dzięki czemu ręcznik szybciej schnie.

Dobra rada
Włóż pomiędzy ręczniki bawełnianą torebkę z ryżem, który doskonale wchłonie wilgoć.

Ręczniki bambusowe

Ich główną zaletą jest hipoalergiczność. Uprawa bambusa nie wymaga stosowania środków chemicznych i pestycydów, dlatego produkt końcowy, tkanina, też nie zawiera toksycznych substancji, które mogą podrażniać skórę.

Ręczniki z bawełny egipskiej

Są grube, mięsiste i świetnie chłoną wodę. Bawełna tego typu ma splot o długiej pętelce, co dodaje ręcznikowi puszystości. Ręczniki z bawełny egipskiej nie pylą, nie mechacą się i z każdym praniem stają się coraz bardziej miękkie.

Suche i pachnące

Najlepsze efekty daje suszenie ręczników w suszarce bębnowej, dzięki czemu na długo pozostają miękkie i puszyste w dotyku. Jeśli takiej nie masz, susz ręczniki na świeżym powietrzu, zimą zaś na stojących suszarkach. Ważne jest, by ręcznik rozwiesić po każdym użyciu. Ręczniki posegregowane według wielkości, zwinięte w kostkę lub rulon, przechowuj w szafce łazienkowej. Możesz zdecydować się także na lniane pojemniczki, otwarte regały (pamiętaj, że szybko się kurzą), pochyloną drabinę (element dekoracyjny) albo wiklinowe kosze.

Jak złożyć ręcznik bez krawędzi

❶ Rozkładamy ręcznik na płaskiej powierzchni.

❷ Składamy dolną część tak, aby brzeg ręcznika znajdował się na środku.

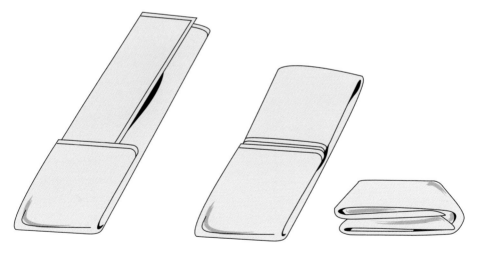

❸ Składamy górną część ręcznika, zostawiając odległość grubości palca.

❹ Składamy prawą część ręcznika do środka.

❺ To samo robimy z lewą stroną.

❻ Składamy na pół.

Balkon i taras

NIC DO UKRYCIA

Balkon i taras to szansa na zieleń w domu. Największe wrażenie zawsze robią na mnie balkony minimalistyczne, ozdobione ekologicznymi, prostymi materiałami, takimi jak kamień i drewno, oraz starannie dobraną roślinnością. Doniczki z lawendą, roślinami iglastymi lub dużymi kulkami bukszpanu – to wystarczy, by balkon nabrał wyrazistego charakteru. Nie pozwólmy, by służył do przechowywania zapasów jedzenia, wywieszania prania ani składowania rzeczy, których nie chcemy widzieć w domu, ponieważ prawdopodobnie ich widok nie sprawi przyjemności również naszym sąsiadom i przechodniom. Bo przecież balkon to idealne miejsce na relaks, zwłaszcza w piękne letnie dni.

ODGRUZOWANIE

Należy zacząć od uprzątnięcia tego wszystkiego, co niepotrzebne, co zagraca przestrzeń i przeszkadza w codziennym użytkowaniu. Stare kartony, gazety, puszki i słoiki trzeba wynieść albo do piwnicy, albo prosto do kontenera na śmieci. Balkon to nie graciarnia ani zewnętrzny składzik. To miejsce, w którym powinniśmy móc odpocząć, poczytać książkę, napić się kawy. Dokładnie zamiatamy więc i odkurzamy każdy metr kwadratowy naszego balkonu bądź tarasu oraz szorujemy balustrady, podłogę i szyby.

Czym podlewać

Do podlewania roślin użyj gazowanej wody mineralnej. Dwutlenek węgla zapobiegnie tworzeniu się białego osadu na doniczkach. Woda po gotowaniu ziemniaków użyźni ziemię (nie może być solona).

Zaczynamy zawsze od góry, czyli balustrad. Drewniane przecieramy szmatką nasączoną w wodzie z płynem do pielęgnacji drewna, metalowe dodatkowo czyścimy przy pomocy szczotki ryżowej, która dokładnie dotrze do zagłębień i usunie zalegający w nich brud. Podobnie czyścimy parapety i inne powierzchnie znajdujące się powyżej podłogi. Następnym etapem jest mycie podłóg. Najpierw trzeba je dokładnie zamieść, usunąć resztki liści, pajęczyny i śmieci. Na koniec podłogi myje się mopem z wodą i płynem. Kiedy wyschną, można zacząć wnosić meble, które też wcześniej powinno się odkurzyć i przetrzeć wilgotną szmatką. Na kolejnym etapie selekcji przyglądamy się roślinom tarasowym. Wyrzucamy wszystko to, co zwiędło i czego nie da się już uratować. Przeglądamy doniczki i pozbywamy się obtłuczonych lub pękniętych. Aby utrzymać taras lub balkon w czystości i porządku, należy:

- co trzeci dzień przetrzeć wilgotną szmatką stół i krzesła
- raz w tygodniu wyrzucić przekwitnięte kwiaty i obciąć wysuszone liście
- co dwa miesiące porządnie umyć podłogi: płytki odkurzaczem na parę, a drewniane deski szczotką

Przed zimą umyj doniczki po kwiatach, stoły, krzesła oraz grill, opróżnij oczko wodne, wszystko szczelnie zapakuj (np. w folię) i schowaj do piwnicy. Rośliny owiń specjalnymi chochołami lub przenieś do domu.

Jak konserwować podłogę na zewnątrz

Podłoga na tarasie najczęściej wyłożona jest płytkami lub drewnem. Płytki powinny być odporne na mróz i ścieranie. Lepiej sprawdzają się te o chropowatej powierzchni, bo zapewniają ochronę przed poślizgnięciem. Płytki z **klinkieru** (czyli gliny wypalanej w wysokiej temperaturze) są twarde, odporne na ścieranie i mróz. Płytki z **terakoty** o barwionej warstwie wierzchniej są bardziej miękkie, łatwiej ulegają zniszczeniom i pękają, dają za to więcej możliwości kolorystycznych. Płytki **gresowe**, wykonane z kwarcu, ka-

olinu lub skalenia, bardzo dobrze znoszą zarówno mróz, jak i intensywne użytkowanie. Płytki kamienne najczęściej produkuje się z granitu lub piaskowca. Trzeba pamiętać, że te ostatnie są delikatniejsze i mogą zmieniać barwę pod wpływem warunków atmosferycznych. Niektóre płytki łatwo wchłaniają zabrudzenia. Przed intensywnym użytkowaniem warto je zabezpieczyć impregnatem wskazanym przez producenta.

Podłoga **drewniana** w dużo większym stopniu niż płytki narażona jest na działanie śniegu, deszczu, wiatru czy upałów. Nawet najlepszej klasy drewno zmienia kolor: szarzeje lub ciemnieje. Aby opóźnić ten proces, można podłogę olejować. Olej rozprowadza się na czystej i suchej powierzchni desek. Latem regularnie czyścimy taras z liści i innych zanieczyszczeń, nie dopuszczamy też do tego, by za długo nasiąkał wilgocią (deski zwykle układamy z nieznacznym spadem). Zimą usuwamy śnieg, by na tarasie nie powstały oblodzenia. Lodu na drewnianym tarasie nie wolno posypywać solą ani środkami chemicznymi.

Jak usunąć ślady po ptakach

To niestety częsty i nieestetyczny problem. Częściową ochronę stanowi zadaszenie, nie należy też zostawiać na balkonie resztek jedzenia i okruchów, które mogą przyciągać ptaki. Najlepiej usunąć suche odchody za pomocą szpachelki, a następnie umyć płytki wodą z proszkiem do prania. Jeśli jednak nie jesteśmy pewni chłonności płytek, lepiej zetrzeć plamę od razu. Gdy zanieczyszczenie wniknie głęboko, da się je usunąć tylko specjalistycznym środkiem do czyszczenia.

ORGANIZACJA
BALKONU

Szczęśliwcy dysponujący dużym balkonem mogą pozwolić sobie na ustawienie na nim wygodnych mebli (z wodoodpornych materiałów) oraz dużego stołu. Najładniej wyglądają meble drewniane, rattanowe lub wiklinowe. Wybierając ten rodzaj materiału, należy jednak pamiętać o regularnej pielęgnacji i zabezpieczeniem przed warunkami pogodowymi. Ci, którzy cenią sobie bardziej nowoczesny, industrialny styl, powinni wybrać meble metalowe, które doskonale prezentują się na tarasie z posadzką wyłożoną gresem lub betonowymi płytami. Na balkonach sprawdzają się też meble wykonane z technorattanu, czyli specjalnego syntetycznego tworzywa przypominającego wiklinową plecionkę. Są one trwałe, wodoodporne i świetnie komponują się zarówno ze stylem nowoczesnym (metal), jak i rustykalnym (drewno).

Jak pielęgnować meble z wikliny

Wiklina znowu jest modna. Nie tylko na zewnątrz, ale i wewnątrz domu. Trzeba jednak pamiętać, że na dworze wymaga dużo staranniejszej pielęgnacji, ponieważ pod wpływem wilgoci może matowieć i szarzeć, a w niskich zimowych temperaturach delikatne gałązki kruszeją i pękają. Wiklinę trzeba regularnie odkurzać (świetnie sprawdza się tu sucha szczotka ryżowa). Do mycia wystarczy woda z mydłem. Ściereczka powinna być wilgotna, ale nie może ociekać wodą, aby meble nie wchłonęły zbyt wiele wilgoci (dobrym po-

mysłem są jednorazowe ścierki nasączone płynem do pielęgnacji). Domowy preparat do czyszczenia wikliny można przygotować z dwóch łyżek wody utlenionej i dwóch łyżek soku z cytryny rozpuszczonych w pół litra wody. Eksperci radzą także, by raz na rok polakierować meble bezbarwnym lakierem, co przedłuży ich żywotność, a zimą przenosić je z balkonu w cieplejsze i suche miejsce.

Jak chronić meble przed kornikami

Kiedyś gospodynie walczyły z kornikami za pomocą... cebuli. Przez kilka tygodni smarowały nią meble, potem robiły przerwę i powtarzały cały proces. Metoda podobno odnosiła pożądany skutek, niestety minusem był niezbyt przyjemny zapach. Korniki najczęściej atakują meble w wilgotnym otoczeniu (czyli np. na balkonie) lub rzadko wietrzonych pomieszczeniach. Czasami zarodki tych szkodników znajdują się już w deskach i w korzystnych warunkach rozwijają się, niszcząc meble. Bardzo podatne na atak tych szkodników jest drewno orzechowe i dębowe, natomiast dużą odpornością na korniki wyróżnia się mahoń. Gdy z wnętrza mebli usłyszysz delikatne, acz niepokojące odgłosy, a na podłodze zobaczysz warstwę drewnianego pyłu, to znak, że pora działać. Do walki z kornikami służą specjalne preparaty, które wlewa się przez mały lejek (lub wstrzykuje strzykawką) w każdy otwór, który zauważymy w powierzchni. Domowym sposobem jest terpentyna lub specjalny roztwór złożony z terpentyny i nafty (w równych ilościach) i naftaliny (około 15% całego preparatu). Składniki wlewamy do bezpiecznego pojemnika, szczelnie zamykamy i wstrząsamy aż do rozpuszczenia łusek naftaliny.

Małe drewniane figurki można zanurzyć w terpentynie. W przypadku dużych i ciężkich mebli wsadzamy nóżki do oddzielnych pojemników z terpentyną (sprawdzają się w tej roli blaszane puszki po konserwach).

Jeśli do walki z kornikami używasz płynu owadobójczego w aerozolu, pamiętaj, by założyć rękawiczki i maseczkę.

Zadaszenie

Jeśli chcemy korzystać z balkonu lub tarasu nieco częściej niż tylko podczas pięknych słonecznych dni, powinniśmy pomyśleć o jego zadaszeniu. Dobrym rozwiązaniem jest na przykład markiza tarasowa, czyli konstrukcja oparta na zautomatyzowanym mechanizmie, co zapewnia łatwą i bezproblemową obsługę. Ciekawym pomysłem jest też zadaszenie drewniane, stanowiące stabilną konstrukcję na długie lata, o ile starannie zabezpieczysz drewno przed warunkami atmosferycznymi. Zamiast drewna można też skorzystać z profili z tworzywa sztucznego. W przypadku balkonów sprawdzają się specjalne osłony chroniące przed wiatrem oraz markizy wykonane z lekkiego płótna, odpornego na promieniowanie słoneczne.

Oczko wodne

Jeśli marzy ci się oczko wodne, możesz je sobie zafundować również na tarasie. Wystarczy niewielkie, ale szczelne i dosyć głębokie naczynie. Zbiornik na małe oczko wodne powinien mieć minimum 50 cm głębokości – jeśli jest płytszy, lepiej ustawić go w cieniu, w przeciwnym razie woda zbyt szybko wyparuje. W naczyniu montujemy pompkę fontannową (do nabycia w sklepach i centrach ogrodniczych) i ustawiamy tak, by funkcjonowała albo jako fontanna, albo jako bulgoczący wodą gejzer. Dzięki temu wprawiona w ruch woda nasyca się tlenem, co spowalnia rozwój glonów. W przypadku małego oczka nie należy przesadzać z ilością i wielkością roślin. Najlepiej sprawdzą się w nim karłowe odmiany grzybieni, hiacynt wodny, nieco rzęsy (naprawdę niedużo, aby oczko nie zarosło) oraz kosaciec żółty lub syberyjski. Powinny one zajmować około 60% powierzchni lustra wody, co ograniczy rozwój glonów. Przed zimą rośliny z oczka wodnego należy przenieść do jasnego pomieszczenia i umieścić w naczyniach z wodą.

DEKORACJA

Jeśli chcemy, by nasz taras lub balkon bardziej przypominał pokój, skuśmy się na oryginalne aranżacje – lampiony, podwieszane sufity z delikatnych i zwiewnych tkanin, świece i poduszki.

Własny ogródek na balkonie? To możliwe. Dotyczy to zwłaszcza uprawy ziół, które nie tylko pięknie wyglądają, ale także pachną i zdobią. Majeranek, szczypiorek, melisa, mięta, bazylia – zioła uprawiane na przykład w wiklinowym koszu lub ozdobnej glinianej doniczce nie zajmują dużo miejsca, a dodają uroku i są zawsze w zasięgu ręki. Dla każdej rośliny należy przygotować podłoże i dobrać wielkość pojemnika. Powinien być tak duży, aby korzenie mogły się rozrastać – pomiędzy bryłą korzeniową a ścianami pojemnika należy pozostawić około 2 cm ziemi. Większość ziół wymaga żyznego i przepuszczalnego podłoża.

Powodzenie uprawy zależy też od właściwego drenażu. Rośliny te nie tolerują bowiem zalania (mogą zgnić), dlatego trzeba zawsze pamiętać o otworze odpływowym. Podłoże nie powinno też całkowicie wysychać. Do podlewania można używać wody z kranu (najlepiej pozostawionej w butelce co najmniej na dobę). Ważne, aby miała temperaturę pokojową. Balkonowy zielnik to wspaniałe połączenie walorów dekoracyjnych z praktycznym zastosowaniem.

Zanim połączymy zioła w oryginalne kompozycje, sprawdźmy, jakie mają wymagania. Bazylia lubi wilgotną glebę, natomiast tymianek i majeranek – suchą. Nie należy ich więc sadzić w jednej doniczce (ale nie zaszkodzi umieścić dwie oddzielne doniczki we wspólnym blaszanym pojemniku lub wiklinowym koszyku).

Warto pamiętać, że balkon można dekorować w zależności od pór roku – jesienią wieszać gałązki jarzębiny i ustawiać metalowe doniczki

Jak dbać o kwiaty
Fusy z kawy i herbaty doskonale użyźniają kwiaty doniczkowe. To samo można powiedzieć o popiele drzewnym. Aby twoje kwiaty pięknie rosły, wsyp do doniczki pozostałości z filiżanki lub kominka.

z wrzosem bądź kolorowe dynie, zimą owinąć rośliny chochołami ze słomianej maty i ozdobić je gwiazdkami i gałązkami świerku. Wiosną ustawmy na stole wiklinowe lub metalowe pojemniki z kwitnącymi krokusami, narcyzami i tulipanami. Latem najpiękniej wyglądają hortensje.

Co zrobić z roślinami balkonowymi zimą

Przede wszystkim nie zostawiać ich na balkonie. Już od września nie powinno się ich nawozić, aby spowolnić wegetację. Rośliny balkonowe (takie jak oleander, heliotrop, werbena, pelargonia, fuksja, złocień) należy umieszczać na zimę w miejscach suchych, ale dosyć chłodnych. Dlatego lepiej wybrać garaż bądź oszkloną werandę niż pokój dzienny. Gdy w pomieszczeniu jest za ciepło, rośliny nie przechodzą w naturalny stan spoczynku, lecz nadal rosną. Wypuszczone w tych okolicznościach pędy są słabe, cienkie i stanowią kiepską ozdobę. Podczas wstawiania roślin do pomieszczenia warto je dokładnie obejrzeć pod kątem chorób i szkodników. Wynosimy je ponownie na balkon najczęściej w połowie maja, gdy minie niebezpieczeństwo przymrozków.

Torba na kwiaty

Ostatnio w sklepach dostępne są doniczki wykonane ze specjalnej, elastycznej i lekkiej tkaniny odpornej na promieniowanie słoneczne i wilgoć. Przypominają one torby lub worki. Doszyte uchwyty pozwalają na powieszenie ich na płocie lub ścianie, można je też postawić bezpośrednio na ziemi. W takich doniczkach ładnie wyglądają zwłaszcza kwiaty pnące. Po wyjęciu kwiatów doniczki-torby można umyć, wysuszyć i po złożeniu przechowywać w szufladzie.

Słowniczek
ŚRODKI I SUBSTANCJE UŁATWIAJĄCE PRACĘ W DOMU

Amoniak

Połączenie wodoru i azotu wykorzystywane jest do usuwania tłuszczu i plam. Sprawdzi się zarówno przy myciu okien (zawiera go większość fabrycznych płynów do szyb), czyszczeniu srebra i przedmiotów z mosiądzu, jak również usuwaniu zacieków na umywalkach i wannach. Przy pomocy amoniaku możemy usunąć plamy z długopisu, dezodorantu, krwi i czerwonego wina. Miseczka z amoniakiem włożona do piekarnika na noc ułatwi czyszczenie następnego dnia. Trzeba pamiętać, że amoniaku nie wolno łączyć z wybielaczami zawierającymi chlor. Takie zestawienie generuje szkodliwe dla zdrowia opary.

Gdzie kupić: amoniak o wysokim stężeniu (woda amoniakalna) znajdziemy w sklepach chemicznych. Dostępne są też wersje łagodniejsze w postaci proszku. Służą one do… wypieków. Amoniak o właściwościach spulchniających można kupić w marketach spożywczych, tam gdzie proszek do pieczenia.

Benzyna ekstrakcyjna

Rozpuszczalnik stosowany do usuwania tłuszczu z podłogi, resztek farby, mycia pędzli po remoncie itp. Aby wyczyścić podłogę nielakierowaną z tłustych zabrudzeń, benzynę łączymy z talkiem i taką papkę nakładamy na plamę. Gdy benzyna wyparuje, usuwamy resztki wilgotną szmatką.

Gdzie kupić: w marketach budowlanych.

Boraks

Używa się go do walki z insektami (np. mrówkami i karaluchami) i jako preparat niwelujący nieprzyjemne zapachy: skwaszonego mleka, śmieci z pojemnika lub zwierzęcego moczu. Może też służyć jako płyn do wybielania (na 4 litry wody potrzebujemy około 1 łyżki preparatu).

Gdzie kupić: w Polsce boraks nie jest popularny. Można go kupić w niektórych sklepach chemicznych albo przez Internet.

Cebula

Wykorzystywana jako wyraziste urozmaicenie wielu potraw, znajduje też zastosowanie jako środek do pielęgnacji pozłacanych przedmiotów (złotą ramę lustra przetrzyj przekrojoną na pół cebulą). Dawniej gospodynie używały jej także do usuwania nalotów z rdzy na nożu.

Cukier

Odrobina cukru dodana do wody w wazonie przedłuży życie kwiatom. Cukier lubią zwłaszcza tulipany i irysy.

Cytryna

Ma właściwości antybakteryjne, czyszczące i wybielające. Można jej używać jako dodatkowego składnika przy czyszczeniu szyb, do mycia baterii łazienkowych, kuchennych i niektórych garnków (np. z mosiądzu). Sok z cytryny dobrze sprawdza się przy czyszczeniu przedmiotów ze stali szlachetnej. Skórka z cytryny posypana solą usunie plamy z marmurowych blatów i parapetów. Woda z cytryną umieszczona w kuchence mikrofalowej i zostawiona do wrzenia (a potem do odparowania) zdezynfekuje i oczyści wnętrze. Cytryna skutecznie likwiduje niepożądane zapachy. Można ją umieścić w lodówce lub wykorzystać do mycia desek do krojenia (przy okazji usunie plamy z resztek jedzenia).

Denaturat

Bardzo dobry do usuwania plam, na przykład z atramentu lub szminki. W połączeniu z wodą można wykorzystać go do mycia okien (zimą taki płyn nie będzie zamarzał). Denaturat zapobiega również matowieniu kryształów, dlatego używa się go do czyszczenia zastawy szklanej czy żyrandoli.

Gdzie kupić: w sklepach z artykułami gospodarstwa domowego, marketach budowlanych.

Gliceryna

Glicerol, wykorzystywany między innymi w produktach kosmetycznych, przyda się też przy sprzątaniu. Gliceryna ma właściwości nabłyszczające, można jej więc używać do polerowania mebli i wycierania kurzu (zabezpieczająca warstwa spowolni jego ponowne osiadanie). Ponadto pomaga zachować elastyczność wyrobów z gumy (np. kaloszy). Gliceryna chroni przed parowaniem, dlatego można nią przetrzeć lustro w łazience albo okulary. Sprawdza się również jako środek do płukania wełny ze względu na dobre właściwości zmiękczające.

Gdzie kupić: w sklepach i hurtowniach kosmetycznych.

Lakier do włosów

Nie tylko zabezpieczy fryzurę przed wiatrem i wilgocią, ale może służyć także jako środek minimalizujący farbowanie butów. Wystarczy spryskać środek obuwia lakierem i odczekać, aż wyschnie.

Mleko

W połączeniu z sokiem z cytryny służy do pielęgnacji skórzanych obić mebli (samo mleko może pozostawić niepożądany zapach). Mleko okazuje się przydatne także przy wywabianiu plam, na przykład z czekolady lub jodyny (w tym drugim przypadku powinno być ciepłe).

Ocet

Domowy przebój. Niezastąpiony w usuwaniu tłuszczu, dezynfekcji, wybielaniu, nabłyszczaniu, usuwaniu plam (np. z czarnych jagód). Nie zostawia smug podczas mycia okien. Gdy umyjemy podłogę wodą z octem, usuniemy większość bakterii. Ocet zmieszany z sokiem z cytryny i wodą oczyści piekarnik (papka z dodatkiem sody oczyszczonej poradzi sobie z większością nawet starych zabrudzeń). Ten niezawodny środek powstrzymuje też rozwój pleśni w wilgotnych pomieszczeniach. Przy jego pomocy usuniesz białe plamy z soli na obuwiu zimą. Gdy ocet zagotujemy z wodą w czajniku, oczyścimy go z kamienia.

Olej spożywczy

Pomocny w pielęgnacji mebli wiklinowych i z rattanu oraz skórzanych (tu używamy oleju lnianego). Doskonale nabłyszczy obuwie. Olej lub oliwa w połączeniu z grubą solą skutecznie oczyści żeliwne naczynia.

Soda oczyszczona

Uniwersalny i ekologiczny środek do zastosowania niemal w każdym pomieszczeniu. Po połączeniu sody z odrobiną wody otrzymasz uniwersalną papkę o wielu zastosowaniach.

W łazience przy jej pomocy wyszorujesz kafelki, fugi, wannę i słuchawkę prysznica. Przy czyszczeniu opornych zabrudzeń (np. w toalecie) wzmocnisz działanie sody, dodając do niej trochę octu. W kuchni soda poradzi sobie ze spalenizną w garnkach i piekarniku. W pokoju dziennym usunie zabrudzenia z dywanu – wystarczy wysypać proszek na brudne miejsca, odczekać kilka godzin i dokładnie odkurzyć. Soda to również świetny odplamiacz, zwłaszcza w przypadku zabrudzeń z potu, wina i krwi.

Gdzie kupić: w sklepach spożywczych w dziale z artykułami do pieczenia ciast.

Sól

Ma działanie antyseptyczne. Może być używana jako środek ścierny, na przykład do czyszczenia garnków i baterii.

Surowy ziemniak

Przekrojonym na pół ziemniakiem usuniesz ślady palców z drewnianych mebli.

Tytuł: Perfekcyjna pani domu. Poradnik
Redakcja: Agnieszka Filas
Redakcja językowa: Ewa Ressel
Korekta: Alicja Laskowska, Katarzyna Zioła-Zemczak
Projekt graficzny i skład: Ilona i Dominik Trzebińscy Du Châteaux
Projekt graficzny okładki: Aleksandra Zimoch
Fotoedycja: Magda Impert
Zdjęcie na okładce: Izabela Grzybowska

Redaktor prowadząca: Barbara Filipek
Redaktor naczelna: Agnieszka Hetnał

Ilustracje: Kinga Nieśmiałek

Zdjęcia:
g – góra, d – dół, l – lewo, p – prawo

Izabela Grzybowska: s. 54–55, 84–85, 100–101, 108–109, 130–131, 176–177, 186–187, 214–215, 244–245, 254–255

Jacek Poremba: s. 6

Zdjęcia aranżacji wnętrz oraz akcesoriów IKEA: s. 36–43, 46–47, 61–65, 69 g, 74–75, 92–93, 102–103, 106, 108–109, 110, 118–119, 120–121, 126 ld, 127 ld, 132–133, 152–153, 159, 194, 202–203, 204–205, 206, 224

CzerwonaMaszyna.pl: s. 68 d, 69 d, 70

Tefal Ingenio: s. 67, 68 g

Tefal Classy Chef: s. 66 d

Rowenta Silence Force Extreme: s. 24–25

Akva Waterbeds: s. 127 pd

Dreamstime.com: s. 14 (Davinci), 16–17 (Maggie Molloy), 18 (Frannyanne), 21 (Malajscy), 22 (Isabel Poulin), 23 (Olga Yastremska), 44–45 (Franant), 48–49 (Garryuk), 50–51 (Kentannenbaum), 52 (Darkop), 56 (Bormash), 58 (Janis Smits), 66 g (Ruslan Gilmanshin), 70–71 (Elena Schweitzer), 76–77 (Andrejs Nikiforovs), 78 (Aprescindere), 88 g (Ruth Black), 88 d (Alexandre Zveiger), 89 g (Eric Limon), 89 d (Russwitherington), 122–123 (Maria Zudanova), 124–125 (Phartisan), 126 pd (Jevgenijus Eidukaitis), 126 g (Angelo Gilardelli), 128 (Chan Yew Leong), 134 (Karam Miri), 135 (Andreea Dobrescu), 136–137 (Mnogosmyslov Aleksey), 138 (Venusangel), 144 (Arvebettum), 145 (Christopher Elwell), 156 (Mousemd), 158 (David Pereiras Villagrá), 161 (Silencefoto), 162–163 (Benjamin Haas), 164 (Alhovik), 165 (Christina Richards), 169 (Sandra Cunningham), 180 (Anyaivanova), 182–183 (Franant) 188–189 (Alexey Kuznetsov), 190–191 (Poligonchik), 208–209 (Dušan Zidar), 212–213 (Irina88w), 226 (Liligraphie), 230–231 (Svetlana Larina), 248–249 (Darkop), 250 (Antaratma Microstock Images © Elena Ray), 251 (Fotocromo), 253 (Natika)

Fotochannels/Corbis: 170 (Jutta Klee), 184–185 (Kate Kunz), 192–193 (Richard Leo Johnson), 198–197 (Stuart Cox), 200–201 (Jessie Walker), 210–211 (Jennifer Boggs_Amy Paliwoda), 219 (Stuart Cox), 220–221 (Di Lewis), 222 (Brooke Fasani), 228–229 (Stuart Cox), 233 (Kate Kunz), 242 (Douglas Hill)

Fotolia.com: 181 (Antonio Gravante)

Bulls Press: s. 9, 27, 28, 30, 32–33, 34, 72–73, 82, 94–95, 96–97, 98, 105, 113, 115, 116, 140, 146–147, 148–149, 150–151, 168, 178–179, 196, 216–217, 234–235, 236–237, 238, 241–242, 246–247

Alamy: s. 13 (Colin Anderson), 80–81 (Flowerphotos), 86–87 (VStock LLC), 90–91 (Andreas von Einsiedel), 142–143 (Niall McDiarmid), 166–167 (B. BOISSONNET BSIP), 172 (moodboard)

Sesja zdjęciowa:
Stylizacja włosów i make-up: Anna Gajewska-Wnuk, Wilson; Stylizacja ubrań: Agnieszka Kozyra, Jolanta Czaja; Rekwizyty: Alicja Antoszczyk

Bielsko-Biała 2013

Wydawnictwo Pascal sp. z o.o.
ul. Zapora 25
43-382 Bielsko-Biała
tel. 33 828 28 28, fax 33 828 28 29
pascal@pascal.pl
www.pascal.pl

ISBN: 978-83-7642-233-6

Wyprodukowano na papierze PROFIsilk 135 gsm
wyprodukowanym przez sappi Sappi Fine Paper Europe
i dystrybuowanym przez IGEPA